Art Tour
藝術旅遊

舊金山博物館之旅
Art Museums in San Francisco

黃麗絹 著

藝術家出版社
Artist Publishing Co.

舊▸金▸山▸博▸物▸館▸之▸旅

目次 Contents

舊金山市博物館 ▸ 18

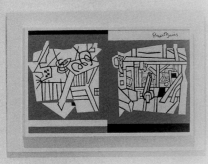

南灣地區博物館 ▶ 116

東灣地區博物館 ▶ 158

前言
綻放藝術神采的舊金山

　　舊金山是一個種族、地理、氣候、建築皆多采多姿多變的城市，當地人或觀光客隨時會發現到，舊金山在迷濛的霧消散離去，在金色陽光映照下，在其豐富歷史與多元文化內涵中，所綻放出的迷人魅力與優雅姿采。遊走在獨具特色的丘陵般高高低低的市區街道上，隨時還會有意想不到的際遇或景緻，每天都如同開始一趟嶄新的旅程一般，令人興奮期待。

　　舊金山是美國西岸重要的文化與金融中心，也是太平洋岸次於洛杉磯的第二大城市。在19世紀以前，該地區乃美國印地安人奧倫族（Ohlone）的居住地。1769年西班牙探險隊首度發現舊金山灣，1776年建立了西班牙傳教區及都羅瑞斯（Dolores）教堂，並在金門（Golden Gate）入口處建造了普瑞斯迪奧（Presidio）要塞，將海灣取名舊金山，該地區取名尤巴·布也那（Yerba Buena）又稱為「芳草地」。這兩棟建築乃舊金山都會創立之肇始，此後舊金山的建築與裝飾也都充滿了西班牙與奧倫族的風味。1821年脫離了西班牙的殖民，此地成為了墨西哥的一部分。由於美國、英國與

● 舊金山市政廳（上圖）
● 舊金山市區街景與樓房（左頁上圖）　● 舊金山市政廳旁亨利·摩爾的雕塑作品（左頁下圖）

法國都對此地有高度興趣，1846年，美國發動美墨戰爭，不顧一切取得了整個加州，1847年尤巴·布也那更名為舊金山，與海灣同名。1848年的舊金山人口約有一千人，是西岸的主要港口。由於發現黃金引發淘金熱，至1850年初，來自美國各地或各國的移民，讓此地人口激增為二萬五千人，成為了加州的第一個城市，也促使加州成為了聯邦第三十一個州。此後城市的繁榮、興建與規畫漸具規模。19世紀後半葉，乃舊金山的黃金時期，許多著名建築物在此時興建，例如獨具特色的維多利亞風格宅第「八角型屋」（Octagon House）與「哈斯–莉莉恩索爾宅邸」（Haas-Lilienthal House）；另外金門公園的土地被保留下來，藝術與文化成為了市民生活不可或缺的一部分，迪揚博物館（de Young Museum）與加州科技學院（California Academy of Science）的設立等，都促使了舊金山進一步成為了國際著名的城市。

　　1906年舊金山發生芮氏8.25級大地震，摧毀了幾近四分之三的城市。然而舊金山以不到六年的時間，重新建設了一座更新、更現代化的城市，如浴火鳳凰般，成為了美國西岸的經濟重心。市政廳與亞洲藝術博物館都是此時建造的。位於港灣歷史區具現著古典希臘羅馬式建築的藝術宮（Palace of Fine Arts），是1915年為巴拿馬——太平洋博覽

● 舊金山金門大橋側影（左圖）　● 舊金山藝術宮（右圖）

會所興建的，也是該博覽會後存留下來的兩棟建物之一，今日它已經轉變為科學探索館（創立於1969年），以及具有一千個座位的藝術宮劇院（設立於1970年）。舊金山的第一批摩天大樓在繁榮的20年代誕生。在1930年代美國經濟大蕭條時期，海灣大橋與金門大橋的興建，更見證著舊金山的不朽傳奇，金門大橋也從此成為了舊金山的象徵。20世紀初兩次的世界大戰，讓舊金山成為了美國的主要軍事港口，創造了許多工作機會，也加速了都市經濟的繁榮。舊金山由於時、空、地理、環境等因素以及崇尚自由的風潮，吸收接納著所有來到此地的人們。世界大戰後50、60年代的舊金山，則成為了反偶像崇拜、反現實、反文化的源頭，也是嬉皮（Hippies）文化運動的重鎮。70年代間則成為了同性戀權力運動的中心，至今舊金山的卡斯卓（Castro）區仍然是顯著的都會同性戀村。在這些歲月裡，舊金山也在文化與反文化之間，找到了完美的平衡點。舊金山另一個顯著的地標，「環美金字塔」（Transamerica Pyramid）大樓完成於1972年，高度有260公尺，是這個城市最高的摩天大樓，也是僅次於金門大橋的超絕表徵。

　　1989年的另一個大地震又嚴重打擊了這個浪漫的城市，當然城市的重建不容遲緩，安巴卡迪洛（Embarcadero）歷史水岸區很快地以嶄新姿態躍現，成為市中心到著名的漁人碼頭間的繁榮通道。重建的海港區（Marina District）傲然呈現出美麗的水岸景與

● 舊金山著名的叮噹車總站（上圖）　● 舊金山BART車站壁畫一景（下圖）

新建築，南市場區（South of Market）則在1990年代末的網路科技爆發時期，重獲生命力。今日南市場區的「尤巴‧布也那文化特區」則是藝術、文化與時尚的中心，在教會街（Mission Street）沿路附近有舊金山現代美術館、尤巴‧布也那藝術中心、猶太當代美術館、工藝與民俗藝術博物館、非洲人博物館，以及卡通藝術館等等。原來位於海港區梅森堡（Fort Mason）內的墨西哥博物館，目前休館，興建中的新博物館位於教會街與第三街上，不久的未來即將成為「尤巴‧布也那文化特區」的另一個新成員。2003年

●壁畫區的房屋（上二圖）　●舊金山彎曲漂亮的景色（左下圖）　●舊金山的「壁畫藝術遊客中心」外觀（右下圖）

舊金山市政府將位於第五街與教會街口，宏偉的歷史地標建築「舊造幣局」交給了舊金山博物館與歷史協會，該協會目前正在進行整修這棟興建於1874年的重要花崗岩建築物，目標在將它轉變為21世紀的多功能文化中心與博物館，並且結合遊客資訊中心，未來將成為舊金山市區文化與休閒的核心，預計在2012年對外開放，就讓我們拭目以待。另外在1994年被歸類為國家歷史公園的普瑞斯迪奧內，目前也計畫興建一座博物館。這種種規劃與建設，證實舊金山是個不斷地在向前躍進，充滿了活力的文化城市。

舊金山還有「美國壁畫之都」的聲譽，似乎大街小巷裡隨時都會有讓人驚艷的美麗際遇，因為一扇窗、一道門、一片牆、一個電器箱、或者腳下踩踏的一方水泥磚等，都可以是畫家們彩繪的天然畫布。根據統計整個舊金山市大約有六百幅壁畫，幾乎都是經過規劃，而且往往有大師的手筆、藝術家的集體創作、市民們的靈感、社區的參與、私人的贊助以及官方資源的結合等。以歐洲西班牙傳統為主的壁畫，到了近代則有拉丁美洲與墨西哥族裔加以發揚光大。主要的壁畫區是在「市民中心」、「教會街區」、22至24四街沿路、芳香小徑（Balmy Alley）、克雷瑞恩小徑（Clarion Alley）、18街的女性大樓（Women's Building）、「嬉皮區」（Haight–Ashbury）一帶。還有1937年由二十五位藝術家花了一年時間完成的寇伊塔（Coit Tower）壁畫，乃當時最大型的公共藝術創作。著名墨西哥壁畫家迪艾哥‧里維拉（Diego Rivera）也為這個城市製作了數幅壁畫，例如在舊金山藝術學院，以及在舊金山市立學院的迪艾哥‧里維拉劇院的巨幅壁畫。這些壁畫的主題多半反映著社會與政治性議題、紀念著文化上的英雄等等。如果有體力與興趣的話，可以在如山巒起伏，甚至垂直陡峭的市中心街道上遊走，慢慢去發掘那些隱藏在巷弄內的屬於民間的藝術。

本書意圖帶領讀者們遊歷舊金山市、東灣以及南灣地區的主要博物館和藝術單位，並且進一步賞析各個博物館的重要藝術收藏，藉此對這個地區所保存的豐碩藝術資產致敬。舊金山獨特的浪漫景緻與風華、舊金山深厚的多元文化與歷史、舊金山綻放的藝術神采與思維，讓古往今來無數人士深情不已。這個美國西岸最具藝術內涵的都市，隨時等待著有心人士的深情探訪，期望這本書會是讀者與遊客們的好夥伴。

舊金山訪客資訊中心

地址 / 900 Market Street, San Francisco, CA 94102
電話 / 415-391-2000
傳真 / 415-362-7323
網址 / http://www.onlyinsanfrancisco.com/

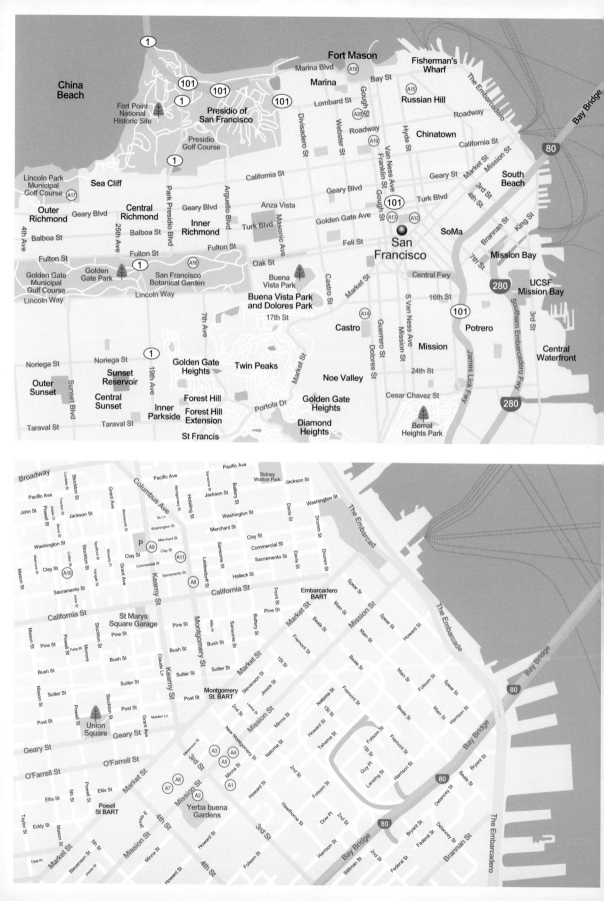

美國壁畫之都
舊金山街頭壁畫采風

● 舊金山十八街路上的壁畫（左上圖）　● 女性大樓正面壁畫（S.F. Women's Building, "Maestrapeace", 1994）（左下圖）
● 女性大樓側面壁畫（S.F. Women's Building, "Maestrapeace", 1994）（右圖）　● 二十四街上停車場壁畫（下圖）

● 女性大樓壁畫細部（S.F. Women's Building, "Maestrapeace", 1994）（上二圖） ● 芳香小徑內的壁畫（Balmy Alley，下圖）

● 芳香小徑內的壁畫（Balmy Alley）（左右頁圖）

●二十四街聖彼得教堂壁畫（I. Mata, 500 Years of Resistance, 1993，上圖）
●二十四街與約克街（York Street）壁畫（J. Alicia, "La Lloronda's Sacred Waters", 2004，下圖）

●二十四街上的壁畫（左上圖）　●教會街與二十四街口麥當勞壁畫（左下圖）　●二十四街電器箱上的壁畫（右圖）
●二十四街上正在進行中的壁畫（下圖）

舊金山市博物館

Art Museums in San Francisco

舊金山現代美術館
San Francisco Museum of Modern Art

　　舊金山現代美術館應該是20世紀以來，這個城市最具特色的公共建築物。舊金山現代美術館創立於1935年，在1995年六十週年慶時，今日這棟極具現代主義特色的嶄新美術館建築落成開放參觀。由瑞士建築師馬里歐‧波塔（Mario Botta）所設計建造的這棟五層樓建築物，以波塔極為具有代表性的紅磚面與石材，建構出了幾何型塊狀堆砌的外牆主體，中間高聳而出的圓柱形塔，則以黑色與白色石塊，交錯地舖陳出如同斑馬的條紋圖案，圓柱塔的斜切面也以黑色與白色建構出放射狀橫條紋圖案，似乎宣告著舊金山現代美術館從此成為西岸當代藝術的中心，並且要由此地向外綻放出磁場般的吸力。這個美國西岸第一個定位在20世紀藝術的美術館，是由三百九十七位愛好現代藝術的個人所組成的非營利組織，宗旨在積極地面對新的與無預期的挑戰中，鼓勵嶄新的藝術觀看與思考方式，以及熱切地與當下環境互動。

　　進入美術館內，迎面即是典雅的灰色與黑色的大理石條紋所構成的大廳，大廳中庭兩旁上方，左右各有一幅美術館

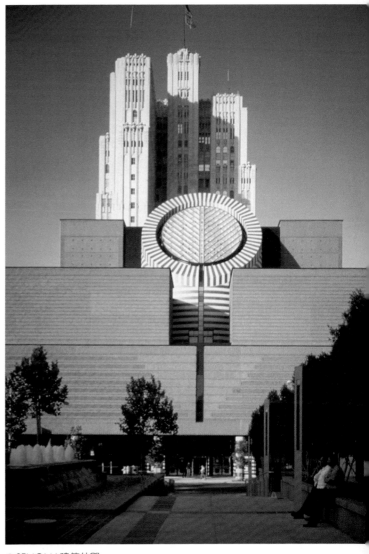

● SFMOMA建築外觀

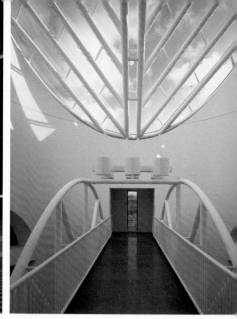

●SFMOMA館內中庭大廳（左上圖）　　●SFMOMA館內中庭圓形的透天天頂（右上圖）
●凱利‧詹姆斯‧馬爾修的壁畫〈蒙帝塞洛〉（左下圖）　　●凱利‧詹姆斯‧馬爾修的壁畫〈弗農山〉（右下圖）

特別委託凱利‧詹姆斯‧馬爾修（Kerry James Marshall）製作的壁畫，描繪著美國兩位
總統喬治‧華盛頓（George Washington）與湯瑪斯‧傑佛遜（Thomas Jefferson）的家
鄉──〈弗農山〉（Mt. Vernon）與〈蒙帝塞洛〉（Monticello），這兩幅壁畫上的兩位
偉大的總統被漫畫式的再現出其親民的形象，另外畫家更巧妙地將協助農耕的黑奴們隱
藏在背景之中，意喻著黑奴經常在美國的歷史中被忽略，然而觀者只要跟隨著畫面上視
覺遊戲的線索，將會發現那些似乎不可見的形像。大廳中庭有座樓梯帶領觀眾進入二至
五樓的展覽室，中庭圓形的天頂有透天的光投入，讓這座現代藝術的殿堂，充滿了神聖
的氛圍。

　　美術館從1900年至今的現代與當代藝術收藏非常豐富，共有兩萬六千餘件，繪畫與雕塑收藏有七千件，在二樓的常設展「馬諦斯與其後：繪畫與雕塑收藏展」中，常態性地展出約有兩百件，包括野獸派、立體派到普普藝術與低限主義，尤其著重在抽象表現主義、觀念藝術、德國表現主義以及加州藝術的創作。該館更設定了深度收藏的藝術家，包括有：羅伯特・勞生柏（Robert Rauschenberg）、克里佛德・史提爾（Clyfford Still）、艾爾斯沃斯・凱利（Ellsworth Kelly）、索爾・勒維特（Sol LeWitt）、法蘭克・史帖拉（Frank Stella）、朵瑞思・沙爾塞多（Doris Salcedo）與費利浦・賈斯頓（Philip Guston）等。加州藝術家則涵蓋著理查・迪本孔（Richard Diebenkorn）、威恩・提鮑德（Wayne Thiebaud）、瓊・布朗（Joan Brown）、羅伯特・安納森（Robert Arneson）等人的作品。

　　二樓常設展畫共有十二間展覽室，在入口處的主題牆面上，首先會看到的就是舊金山灣區著名的陶藝家羅伯特・安納森的一件陶塑的素描稿〈直立的喬治〉，描繪著1978年被暗殺的舊金山市長喬治・莫斯肯（George Moscone），以及背後暗殺他的兇手。安納森

●馬諦斯 戴帽子的女士 1905 油彩畫布 80.65 cm× 59.69 cm © Succession H. Matisse, Paris / Artists Rights Society （ARS），New York（上圖）
●SFMOMA館二樓展覽室內景（下圖）

被尊為陶藝的「放克」（Funk）藝術之父，他的作品總是在日常生活的題材中，加入尖銳的或詼諧調侃的爭議性陳述。進入201展覽室，迎面就是馬諦斯（Henri Matisse）的經典作品〈戴帽子的女士〉。這件作品色彩鮮豔卻非自然，筆觸似乎隨興揮灑，是馬諦斯畫風轉變為獨具個人表現性風格的首幅創作，畫中的女士是他的夫人。在此畫家摒棄了傳統自然主義的描繪方式，採用個人主觀的、狂野的色彩選擇，讓充滿生命力的強烈與對比色彩在畫面上碰撞，將法國中產階級婦女的風貌，作了嶄新的詮釋。這幅畫首次在巴黎秋季沙龍展出時，造成極大的爭議，一位藝評家稱之為「野獸派」繪畫，這個名

● 保羅・克利作品（左圖）　　● 迪艾哥・里維拉 背載花卉的人 1935 油彩畫布　121.9×121.3cm © Estate of Diego Rivera, Courtesy Banco de Mexico（右圖）

稱也就從此流傳下來，「野獸派」與畢卡索創立的「立體派」共同開啟了20世紀藝術的新視野。202展覽室展陳著畢卡索、布拉克、蒙德里安的繪畫、尚・阿普與布朗庫西的雕塑。203小型展覽室是保羅・克利的小品特展室。其他展覽室依照歷史流程陳列著現代藝術史上會讀到的眾多大師之作涵蓋著歐姬芙、達利、曼紐爾・納利、馬克斯・恩斯特等。

　　204展覽室的迪艾哥・里維拉（Diego Rivera）〈背載花卉的人〉，描繪著一位農民辛苦地背載著超乎他體型的巨簍花卉，畫面中心強調著巨型花簍的複雜編織結構與沉重量感，對照著周圍景物尤其是農民平樸的衣服、渺小的姿態和僵硬的雙手。在此美麗的花卉代表著人們的奢華享受，而受苦的總是窮困的人。瑞維拉是墨西哥最重要的畫家與壁畫家，作品以描繪勞工階級的社會寫實主義著稱，這幅畫表達著他對勞工的深切同情。206展覽室入口即是杜象的〈噴泉〉，這件作品是將「現成物」小便斗反過來擺置作為藝術品，顛覆了傳統雕塑強調著工與藝的元素，它的反美學、反藝術、反既存的一切理念與體制，即20世紀初「達達」運動的觀念本質，它也影響了爾後各種現代藝術流派的興起與形塑。盛行於1950年代的美國抽象表現主義即受到達達的啟發，摒棄畫框與畫筆的限制，關注的是內在心理的誠摯自我表達，展現著高度的內省思維與精神性元素。207展覽室有抽象表現主義行動繪畫創始者傑克森・帕洛克（Jackson Pollock）早期的作品，帕洛克的作品以油彩隨心的自由揮灑，讓創作的實際行動成為作品完成的本質。第208展覽室則專門展覽抽象表現主義者克里佛德・史提爾的繪畫。史提爾宣稱他只描繪自己內在心理的境界。他的畫面上顏料濃厚粗糙，色彩在交會鋪陳中呈現著不規則崎嶇的色域邊界，似乎闡述著內心複雜龐然的情境與思緒，然而以巨幅創作為特色的繪畫，仍然流露出了一種原始的風景氛圍。

　　被稱為是抽象表現主義與普普藝術之間的橋樑的羅伯特・勞生柏，作品以「結合的」混種繪畫與雕塑的表現著稱。在50年代間抽象風格當道之際，他卻在對日常生活的

●杜象 噴泉 1917/64 現成物 36×48×61cm（上圖）

●傑克森・帕洛克作品現場（左下圖）　●克里佛德・史提爾 無題 1960 油彩畫布 287×396.2cm © Estate of Clyfford Still（右下圖）

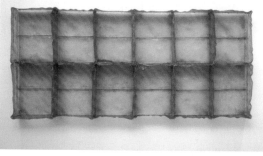

● 羅伯特・勞生柏 收集 1954 油彩、畫紙、織物、金屬，裱於木板 203.2×243.8×8.9 cm © Robert Rauschenberg / Licensed by VAGA, New York（上圖）
● 安迪・沃荷 六幅自畫像 1967 油彩、絹印 114.3×171.45 cm © Andy Warhol Foundation for the Visual Arts / Artists Rights（左下圖）
● 依娃・海絲 無Ⅱ 1968 玻璃纖維、聚酯樹脂 96.5×218.4×15.6cm © Estate of Eva Hesse（右下圖）

反芻中，思考著「繪畫還可以如何表現」的議題，運用著各種現成物或廢棄物的聚集來創作，在208展覽室的作品〈收集〉即其代表作。這件作品結合了三塊木板作彩繪，上面再疊置著彩色的布塊、未處理的畫布碎片、漫畫圖像、博物館的名信片、報紙頭條新聞的剪報、還有面被遮蓋著的鏡子。他的畫面不是對物像的描繪，而是將真實生活經驗導入作為藝術的主題，因此勞生柏的創作又被稱為「新達達」。普普藝術的教父安迪・

沃荷（Andy Warhol），則基於對抽象表現主義的反動，對現代主義繪畫的純粹本質的叛逆，對傳統寫實主義的否定，對大眾流行文化與現成物的鍾愛，對消費主義的頌揚，運用著版畫的複製過程，去除了藝術家的個人性，挑戰著現代主義的原創性與自我表達之理念。他的作品題材總是取自日常生活的通俗或流行物像，用絹印版畫作大量多數複製照片的形式，製作出了許多令人難忘的作品，例如：〈六幅自畫像〉、〈康寶濃湯罐頭〉、〈瑪麗蓮·夢露〉，以及陳列在209展覽室的〈伊莉莎白·泰勒〉等等，都是結合精緻藝術與流行文化的傑作。

　　館藏雕塑方面具代表性的例如：依娃·海絲（Eva Hesse）以玻璃纖維與樹脂創作的極簡形式的軟雕塑作品〈無II〉，截然不同於傳統雕塑的陽剛與持久，而是充滿了陰柔的脆弱性，正如同她短暫的一生，她的作品是從低限主義發展到後低限主義藝術的代表。屬於後現代主義或新普普藝術的傑夫·孔斯（Jeff Koons），則是俗媚藝術的最佳表徵，他的雕塑挪用流行文化中的人與物像，再現出傲慢、嬉戲、輕佻、充滿了對性或丑角之隱喻的超級寫實作品，將傳統人物雕像的崇高性，轉變為低俗的、虛假的情境，是對藝術界的品味與商業主義之虛偽的尖銳控訴，如作品：〈麥可·傑克森與他的黑猩猩〉。

　　二樓另一邊的展覽室是「建築與設計收藏展」，涵蓋著歷史與當代的建築、家具設計、產品設計、平面設計、實驗性的印刷品及相關的創作。另外還有灣區重要設計家作品如：伯納·梅貝克（Bernard Maybeck）、提慕西·普佛格（Timothy Pflueger）、威廉·沃斯特（William Wurster）、約翰·迪金森（John Dickinson）、珍妮佛·莫拉（Jennifer Morla）與傑克·史托佛丘（Jack Stauffacher）等人的作品。

　　三樓一系列比較具私密性的小間展覽室，展陳著館藏攝影精品，題為「捕捉現代性」（Picturing Modernity），特別展出著與科學以及自然界有關的攝影，包括：尤金·阿特捷特（Eugène Atget）、克里斯多佛·巴克羅（Christopher Bucklow）、

● 傑夫·孔斯 麥可·傑克森與他的黑猩猩 1988
瓷器 106.68×179.07×
82.55 cm © Jeff Koons

● 法蘭克・史帖拉 迴廊「建築與設計收藏展」景（左上圖） ● 建築與設計收藏展（右上圖）
● 比爾・維歐拉 通道 1987 立體聲單頻道錄像裝置 365.76×1828.8×487.68 © Bill Viola（左下圖）
● 葛登・馬塔−克拉克 圓錐形的交會 1975 銀鹽相紙 26.99×39.69cm © Estate of Gordon Matta-Clark / Artists Rights Society
（ARS），New York（右下圖）

查爾斯・馬維爾（Charles Marville）、艾爾佛瑞德・史提格里茲（Alfred Stieglitz）與愛
德華・威斯頓（Edward Weston）等人的作品。

　　舊金山現代美術館是最早認可攝影為一種藝術形式的美術館之一，也早自1935
年就開始收藏並且展覽攝影作品，至今收藏超過一萬四千件，尤其著重於與美國加
州和西部、歐洲前衛，以及美國現代主義有關的攝影作品。涵蓋著19世紀攝影家朱
麗亞・馬格里特・卡瑪蓉（Julia Margaret Cameron）到愛德華・慕布里基（Eadweard
Muybridge），以及圖像派攝影家艾爾佛瑞德・亞當（Alfred Adam）與伊莫肯・康寧漢
（Imogen Cunningham），還有紀錄攝影家路易斯・韓（Lewis Hine）、沃克・伊凡斯
（Walker Evans）以及朵勒西亞・蘭（Dorothea Lange）等的作品。

　　四樓的右邊主要作為變動性特展的空間，舉辦過的展覽例如：「參與的藝術：1950
年代至今」，探討著藝術家、大眾與美術館之間積極互動的角色關係；還有鼓勵與肯
定年輕藝術家的「灣區藝術雙年展」；南非多媒體創作藝術家威廉・肯崔吉（William
Kentridge）的大型展覽，展出約一百件素描、版畫、影片、炭筆繪製的動畫、設計與雕

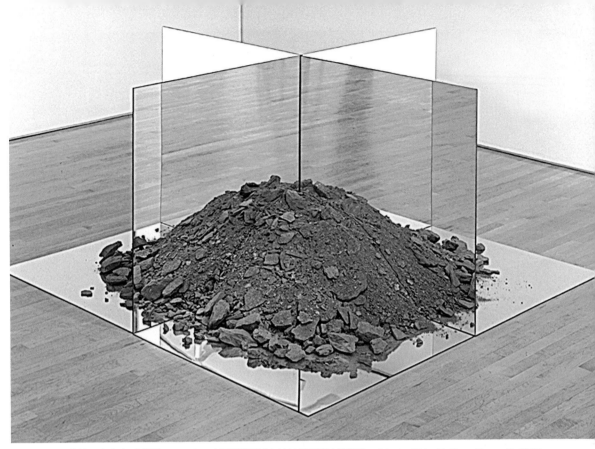

● 羅伯特‧史密森 非地點 1969 土、十二面鏡子 91.44×182.88×182.88cm © Estate of Robert Smithson / Licensed by VAGA, New York

塑作品等，探索著個人、社會、政治等等議題。左邊則是當代藝術的收藏展，重點在探討當代人、事、物的歸屬與放逐、流動性與固定性、轉換與過往等議題。首先迎面就是費立克斯‧岡札磊斯-托瑞斯（Felix Gonzalez-Torres）所創作的一大片以金色珠子串鍊構成的簾幕，讓觀眾在驚艷中穿過這個金色簾幕，才得以進入屬於當代的作品展覽區。以地景雕塑著稱的羅伯特‧史密森（Robert Smithson）的作品〈非地點〉，在以十二面鏡子交會成六角形所構成的空間裡放置土堆，形成一件室內的地景藝術，它是一個抽象空間地點的隱喻，而這個地點無法旅行到達，它是純然美學意念的形塑。另外還有叛逆的建築師葛登‧馬塔-克拉克（Gordon Matta-Clark）的攝影作品，捕捉著被他自己再破壞的廢棄建築物或住宅，暗示著城市的朽壞、建築法令的不彰、美國夢的逐漸消失。作品〈圓錐形的交會〉，即藝術家在巴黎市藍領階級區的一棟被廢棄的住宅，挖掘了數個圓洞，讓它產生實質的與視覺上的不穩定感，也打開了一種無預期的視野景觀，它的穿透性似乎啟示著光與流通的空氣，將抹拭掉這些古老建築的髒亂。

　　另外還有一間展覽室播放著媒體藝術。舊金山現代美術館從1970年代初，就是收藏、展示與保存媒體藝術的先驅機構，收藏的多媒體裝置涵蓋著錄像、影片、聲音與

電腦數位創作，反映出在藝術創作中科技與觀念的發展歷程。媒體藝術家包括：早期的維多‧阿孔西（Vito Acconci）、丹‧葛拉漢（Dan Graham）、葛瑞‧希爾（Gary Hill）、白南準（Nam June Paik）等，至比較當代的馬修‧巴內（Matthew Barney）、道格拉斯‧葛登（Douglas Gordon）、以及史提夫‧馬克昆（Steve McQueen）等。比爾‧維歐拉（Bill Viola）的錄像作品〈通道〉（Passage, 1987），是在一間小展覽室的整面牆上，以極慢的速度播放著一個小孩的生日派對的情景，讓觀者在極近的距離裡觀看著，孩子們的噪音則充滿著狹小的空間，這些被放大了的所有動作與細節，似乎被昇華到具有象徵性的比例，而畫面上的色彩也充滿了爆發力。維歐拉利用這種錄像的效果，來陳述年輕與年老、生與死之間的張力，並且讓時間的通道在儀式化中，陳述出人的記憶與夢想都是來自原初的經驗。近年來，該館媒體藝術部門也委託許多藝術家創作實驗性錄像裝置，其中屬於灣區的藝術家有吉姆‧坎貝爾（Jim Campbell）、比爾‧封答那（Bill Fontana）、道格‧霍爾（Doug Hall）、艾倫‧羅斯（Alan Rath）等人。

　　五樓是舉辦變動性主題展的特別空間，近期展覽有「藝術與生活之間：典藏當代精品展」，另外「馬丁‧布伊爾（Martin Puryear）三十年雕塑回顧展」，則呈現出這位藝術家在工藝素材、技法與藝術理念的多元融合之中，探討著主體性、文化與歷史的種種意涵。在2009年5月，舊金山現代美術館還增加了一座開放式屋頂雕塑花園，為美術館增加了1萬4400平方英尺的展示空間。這個額外的展覽空間，由一座以鋼橋支撐的玻璃走廊銜接美術館五樓的展覽室與戶外的屋頂雕塑花園，屋頂雕塑花園則涵蓋了一部分的室內空間與大部分的戶外空間，雕塑品因此得以在開放性場域裡，融入舊金山特有的霧

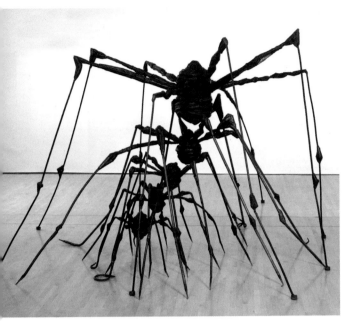

● 露薏絲‧布爾喬亞 巢穴 1994 鋼 256.54×
  480.06×401.32cm © Louise Bourgeois / Licensed
  by VAGA, New York（左圖）
● 美術館藝品店（右圖）
● 尚‧慕諾茲 交談 1992 赤陶、青銅 © Estate of
  Juan Muñoz（左頁左圖）
● 亨利‧摩爾雕塑（左頁右圖）

氣、陽光與空氣中，成為附近高樓景觀的另類現象。美術館原來五樓展覽室的外牆也更
改為玻璃牆，讓觀眾可以從展覽室內觀賞戶外寬敞的雕塑花園景。

　　屋頂雕塑花園的開幕首展作品，從館藏品中精選出來，涵蓋了羅伯特‧安納森的頭
部雕像、露薏絲‧布爾喬亞（Louise Bourgeois）巨大而震撼人的的蜘蛛作品〈巢穴〉、
亞歷山大‧卡爾達（Alexander Calder）充滿了童年趣味與遊戲性的動感雕塑、艾爾斯沃
斯‧凱利（Ellsworth Kelly）如同紀念碑般挺立的簡單鋼鐵雕塑、馬利奧‧摩茲（Mario
Merz）以玻璃片與自然的石塊組構而成的裝置作品〈鹿特丹的透鏡〉、亨利‧摩爾
（Henry Moore）的抽象人體、巴內特‧紐曼探索著超卓的藝術境界的鋼鐵雕塑，以及
奇奇‧史密斯（Kiki Smith）、裘‧夏皮洛（Joel Shapiro）、尚‧慕諾茲（Juan Muñoz）
以及冉佳尼‧雪塔（Ranjani Shettar）等人的代表性作品。另外美術館還特別邀請了舊金
山藝術家羅莎娜‧卡絲翠羅‧迪阿茲（Rosana Castrillo Diaz）為玻璃走廊的牆面製作壁
畫。這個都會高樓中的綠洲，除了擴大了舊金山現代美術館館藏雕塑品的多元展陳空間
與形式外，也提供給觀眾們一個沉思、冥想、放鬆、與互動的嶄新體驗。（圖片由舊金山現
代美術館提供 Photo courtesy San Francisco Museum of Modern Art; all building photos by Richard Barnes）

地址 / 151 Third Street（Between Mission + Howard）, San Francisco, CA 94103
電話 / 415-357-4000
網址 / http://www.sfmoma.org
開放時間 / 週一、二、五、日：11:00－17:45，週四11:00－20:45，週三與國定假日休館。
門票 / 全票$12.50，62歲以上$8.00，學生$7.00，12歲以下免費，每月第一個週二免費，週四
　　　18:00－20:45半價。

尤巴・布也那藝術中心
Yerba Buena Center for the Arts

　　設立於1993年的尤巴・布也那藝術中心，乃舊金山市中心尤巴・布也那花園裡的核心建築。1980年舊金山市政府的再發展部門，計畫重建城市裡荒廢了的地區，規劃了5英畝大的尤巴・布也那花園特區為都會裡的綠洲，而尤巴・布也那藝術中心則規劃興建了兩棟大樓。這棟以玻璃與石材建構的兩層樓藝術中心，是獲得1993年普立茲克建築獎，著名的日本建築師槙文彥（Fumihiko Maki），在美國境內所設計的第一棟建築物，其設計理念來自對海洋中遠洋定期客輪的遐想，有著如同船艙口的窗戶，以及如同船桅的旗柱等。藝術中心具有三間展示當代藝術的寬敞畫廊，一個舉辦前衛表演藝術（音樂、舞蹈、劇場）及演講的多功能論壇空間，還有專門播放影片與錄像藝術的多媒體播映廳。另外一棟是由建築師詹姆斯・史都華・波爾謝克（James Stewart Polshek）所設計的諾維拉斯劇院（Novellus Theater），有七百五十五個座位，專門舉辦多樣化的傳統與當代的表演藝術。

　　尤巴・布也那藝術中心是一間致力於展演當代與前衛藝術的殿堂，以發掘與孕育新秀藝術家，鼓勵與展陳多元融匯的藝術形式，並且以探索當代的事件與觀念著稱。該中心宗旨在將各種不同背景與文化學養的觀眾和藝術家聚集在一起，共同來體驗與表現創

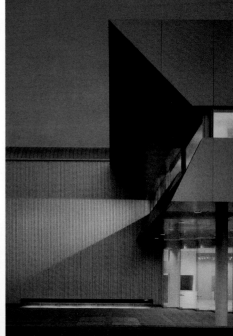

●尤巴‧布也那藝術中心建築物外觀（上圖與左頁右圖）　●尤巴‧布也那藝術中心的花園（左頁左圖）

造力。因此除了視覺藝術展覽外，表演藝術、影片、錄像、論壇與教育活動，都圍繞在每年的大主題架構下規劃，以呼應舊金山這個多元族群聚集的文化場域，並且促進大眾對當代藝術的了解。它立意要做為普普文化、當代藝術以及社區美學之間的橋樑。該館並沒有典藏品，因此投注全部心力在展覽與活動的策劃，致力讓觀眾參與那萬象勃發的當代、甚至是極為挑釁的前衛藝術與嶄新的創作觀念。曾舉辦過的展覽如：「今日灣區」、「黑暗物質：藝術家看見的不可能」、「我們陳述的方式：女性、藝術與政治」、「感性的，墨西哥街頭藝術」等等。

　　近期的展覽「跨普普：韓國與越南再混合」，展出這兩個國家與越裔與韓裔美國前衛藝術家們，連結複雜而豐富的歷史因緣與當代普普文化之關係，所陳述出的種種文化、社會與政治議題。如越南籍藝術家阮猛雄（Nguyen Manh Hung）創作的超現實建築物風景，遊戲性地探索著全球化、工業化與都市化議題，以及越南快速變化的社會經濟與文化樣貌。「橫蠻無禮的：當代北歐創意工藝」呈現出丹麥、芬蘭、挪威與

● 璐易斯・尼皮耶 狂野的心 2003 「橫蠻無禮的：當代北歐創意工藝」展 Photo by Alf Borjesson

瑞典藝術家們，挑戰著斯堪地納維亞地區現代主義的美學觀與原則，強調著製作者在技藝雕造行動中的角色，以及具功能性物品潛在的述敘特性。這些藝術家使用著傳統工藝媒材：陶、玻璃、纖維、木材、金屬等，卻創作出了挑戰一般人對美、自然、傳統與創造力之本質觀念的後現代作品，觸發了工藝與藝術之間的嶄新關係，賦予了工藝在精緻藝術世界的角色一種截然不同的文本。作品如：弗麗達・佛澤爾曼（Frida Fjellman）的〈夜之夢〉裝置，創造出了一個童話故事般的奇幻夢境場景，一個色彩繽紛的烏托邦世界。璐易斯・尼皮耶（Louise Nippierd）的金屬雕塑〈狂野的心〉，則以誇張的戲劇化動勢，凝塑出了一種巨大的頸部裝飾，又如同抽象的人體保護膜。

● 約翰・羅路夫（John Roloff） 高度傾斜的複合物（Deep Gradient Complex）2008.「今日灣區」展 Photo courtesy Gallery
　Paule Anglim（左上圖）
● 阮猛雄 建築物 2004 「跨普普：韓國與越南再混合」展 Photo courtesy of the artist（右上圖）
● 弗麗達・佛澤爾曼 夜的夢 「橫蠻無禮的：當代北歐創意工藝」展 Photo by Cathrine Edvall（下圖）

　　另一項展覽「尼克・凱夫：與我在地球的核心相遇」（Nick Cave: Meet Me at the
Center of the Earth），展出四十件凱夫的〈聲音服裝〉雕塑，這些作品運用了多種媒
材，以多層次的建構，雕造出可以穿的服裝，而且穿著與行動時會發出聲音。因此作為
一個展演當代多元藝術的尤巴・布也那藝術中心，特別地為這項展覽策劃了表演的委託
專案，邀請了著名的編舞家羅納德・布朗（Ronald K. Brown），為凱夫的作品駐地創作
兩週，並且由他的舞團（EVIDENCE）與當地舞者合作，以融合了非洲、現代與嘻哈的

●尼克・凱夫 聲音服裝 Photo by James Prinz
（右圖與右頁上圖）
●艾瑞克・阿勞玖 節奏 2007 Photo courtesy of
the artist（右頁下圖）

舞蹈來闡述有關人類經驗的故事。這些展覽以及表演都是尤巴·布也那藝術中心，今年度三個大主題架構中「儀式與救贖系列」的一部分。因為藝術所致力探索的超卓境界，在創造的過程中提供了救贖之途，能夠引導觀者在藝術龐然的想像空間裡，去體會他們所渴望的另類經驗並且獲得啟發。「經由未來之眼：人性的耐力」展覽則是由參與尤巴·布也那藝術中心策展課程教育活動的六位高中女生所策劃的展覽，邀請了國內外十位藝術家多種媒材的作品，共同來探索人類耐力之普遍的經驗與超越的經驗，藉此來反映年輕的心靈，所面對的當代社會之挑戰，以及成長與發展的複雜性。例如：艾瑞克·阿勞玖（Eric Araujo）的作品〈節奏〉，運用了塑膠、橡膠、鋼、木、電子裝備等，建構出了一個需要科技協助才能夠生存、活動並且獲得舒適的人體。這項展覽是年度主題「想像我們的未來」系列。

尤巴·布也那藝術中心與舊金山現代美術館、猶太當代美術館為鄰，形成了市中心難得的當代藝術金三角。由此地再往外擴大範圍，從第2街到第5街，以及市場街到哈瑞森街（Harrison）之間的塊狀地區，則屬於尤巴·布也那聯盟地區，涵蓋著十一間博物館、許多畫廊、電影院、表演場地等，絕對是旅遊這個城市，探索藝術文化不可錯過的地區。

（圖片由尤巴·布也那藝術中心提供 Photo courtesy Yerba Buena Center for the Arts ）

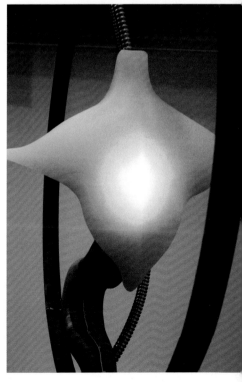

地址／701 Mission Street (at 3rd Street), San Francisco, CA 94103
電話／415-978-2700
網址／http://www.ybca.org
開放時間／週二、三、五、六、日12:00－17:00，週四12:00－20:00，週一與國定假日休館。
門票／全票$7.00，60歲以上、老師與學生$5.00，每月第一個週二免費。

加州歷史協會
California Historical Society

　　加州歷史協會最早草創於1871年，歷經波折與20世紀初的舊金山大地震，在1922年才再度復甦並運作，然而在當時發行出版的季刊則一直持續到現在。1956年，加州歷史協會首度有了自己的家，設立在舊金山市區的太平洋高地（Pacific Heights）的懷提爾宅邸（Whittier Masion）。三十餘年後在1993年，該協會在新開發的尤巴‧布也那花園特區購買了現址，興建於1922年的五金零件大樓，這棟極具歷史特色的建築物經過了整修與抗震處理後，內部規劃成為了一間主要展覽室與三間小型展覽室，以及一間圖書館與一間商店。

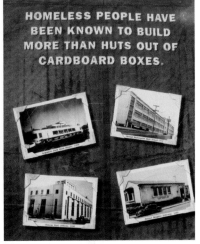

● 加州歷史協會（左右頁圖）

　　加州歷史協會在一百二十五年的歷史裡，收藏了非常豐富的加州歷史資料與圖像，包括五十萬幅攝影作品、十五萬件手稿、五千件的油畫、素描、版畫、服裝與裝飾藝術品，紀錄著16世紀至今的加州歷史。展覽的規劃以重新審視加州地區各個歷史片段與發展層面為主，例如：以攝影、地圖、繪畫與文件來探索舊金山市南市場街區從18世紀以來的蛻變；舊金山攝影家眼中的早期加州等。最近正在展出的「藝術家對1930年代至今的街頭遊民的回應」畫展，則提呈出各個時期的藝術家對遊民議題的關注，希望藉此影響社會人士對不幸人們的關切。加州歷史協會的宗旨即在，啟發並且促使加州人們將過去的歷史變成為當代生活中具有意義的部分。

地址／678 Mission Street,
　　　San Francisco,
　　　California 94105
電話／(415)357-1848
網址／http://www.cali
　　　forniahistoricals
　　　ociety.org/main.
　　　html
開放時間／週 三 至 週
　　　　　六 12:00 －
　　　　　16:30
門票／全票$3.00，62
　　　歲以上與學生
　　　$1.00，5歲以下
　　　免費。

卡通藝術館

Cartoon Art Museum

對廣大的卡通迷來説，這個卡通藝術館當然就是必訪之地。創立於1984年的卡通藝術館，原來是一個無牆面的游移藝術館，在當地的博物館或公司大樓裡舉辦著展覽，直到1987年，在創造出著名的史努比卡通「花生」（Peanut）的作者查爾斯·舒茲（Charles M. Schulz）之捐助下，卡通藝術館才在尤巴·布也那文化特區裡的布勒登（Bulletin）大樓落腳。到了2001年12月，卡通藝術館遷移到同年4月已經關閉的安塞爾·亞當斯攝影中心的現址，嶄新對外開幕。

這個美國西岸唯一致力於保存與展覽各式卡通藝術的博物館，運用著流行的卡通漫畫在社區裡從事多元文化的交流，以及鼓勵著自我表達的重要性。這個藝術館收藏著六千件卡通漫畫的原稿，在常態展覽室中輪流展出著各種形式的卡通藝術百年來的歷史發展與樣貌，包括漫畫、漫畫書、報章雜誌上的卡通、動畫、地下漫畫等，例如廣為人知的「大力水手」、「狄克崔西」、「天使神差」、「孤女安妮」等。還有早自1895年5月5日在《紐約世界》上出現的第一個漫畫，由奧特科爾特（R. F. Outcault）所畫的「黃色孩子」；1907年11月15日在《舊金山觀察報》（San Francisco Examiner）上刊載的第一則連環漫畫，由巴德·費修（Bud Fisher）所畫的「馬特與傑夫」（Mutt and Jeff）；稀有的50年代蘇俄的編輯漫畫；喬治·赫里曼（George Herriman）簽名的暢銷卡通「瘋狂貓」（Kraze Kat）水彩畫；以及迪士尼電影「幻想曲」的草圖等等。

卡通藝術館每年舉辦七項主要的展覽，二十餘年來舉辦過一百多項展覽，出版了二十餘本專輯。最近主要的展覽有金·科嵐（Gene Colan）的回顧展，包括他一生創作的四十項漫畫作品，如60、70年代的「夜魔俠」（Daredevil）、「鋼鐵人」（Iron Man）、「神奇隊長」（Captain Marvel）、「史傳奇醫生」（Dr. Strange）、「德拉裴

●卡通藝術館展覽景（上二圖）　●卡通藝術館入口的顯著標誌（下圖）　●卡通藝術館（左頁圖）

● 卡通藝術館展覽景（上圖）　● 卡通藝術館書店（下圖）

拉墳墓與霍華鴨」（Tomb of Dracula and Howard the Duck），80年代的「蝙蝠俠」、「超人」、「神力女超人」，以及最近被委託繪製的「逃避現實者的奇幻冒險」（The Amazing Adventures of the Escapist）的鉛筆畫等。除了展覽外，卡通藝術館還有漫畫家駐地創作的活動，讓觀眾得以近距離觀賞漫畫的創作過程並且與作者聊天。另外還有一間教室，教導漫畫的繪製，一間書店充滿了豐富的各類漫畫書籍，必然也會是漫畫迷們流連忘返之處。

地址／655 Mission Street, San Francisco, California 94105
電話／415-227-8666
網址／http://www.cartoonart.org/index.html
開放時間／週二至週日11：00－17：00，週一及元旦、復活節、感恩節、聖誕節休館。
門票／全票$6.00，62歲以上與學生$4.00，6至12歲$2.00，5歲以下免費。每月第一個週二隨意付費。

非洲裔民族博物館
Museum of the African Diaspora

　　非洲裔民族博物館位於尤巴‧布也那文化特區內，在舊金山現代美術館斜後方的教會街上，旁邊有卡通博物館，斜對面是加州歷史協會。2005年開幕的嶄新博物館，是在舊金山都市再發展部門的規劃下創立的，定位在以國際性視野，增進大眾對人類歷史的了解，以及推廣跨文化的溝通與聯繫。它也提醒著大眾，非洲是人類的發源地，所有人類都是一家人。因此博物館的規劃涵蓋了四個主題：根源、流動、適應與轉變，藉此與觀眾分享非洲族裔的故事，並且歌頌人性的本質力量。

　　這個博物館規模不大，一樓是大廳與藝品店，主要的常設展覽室在二樓。常設展入口內牆面上懸掛著一幅用各式舊布料製做的拼布，呈現出一棵繁盛勃發充滿色彩的生命之樹，代表著非洲的根源與非洲眾多族裔向四方繁衍發展。非裔美國人的拼布，幾乎與美國的歷史一樣地久遠，最早可以追溯自17與18世紀，非洲人被迫遷移到美洲大陸，協助農務與家務，而縫製拼布也是非裔婦女的手工活動之一，因此這件作品是非洲裔族群散佈狀態的極佳表徵。常設展以連貫性的模式展陳，主題包括了：儀式與慶典、音樂、飲食傳統、裝飾品、

● 博物館外觀（上圖）　● 博物館牆面地圖（下圖）

● 博物館常設展主牆面（上圖）　● 博物館牆面圖像（中圖）
● 博物館內拼布作品，20世紀初。（下圖）

黑奴的遷移、非洲根源地圖與一間互動式的自由劇場。展覽場裡依照主題佈滿整個牆面的圖像說明，搭配著科技媒體的互動設備，期望引發觀眾對這個博物館與各項的主題產生好奇心，進而去認識非洲的歷史、故事、特質與多樣化才華，讓非洲族裔與地球村的人們得以相連繫。

二樓還有一間小型特展室與三樓的主要特展室，定期舉辦著各項主題策劃的展覽，探討著非洲族裔所關心的議題，最近的展覽如：「身份的解碼：為我的族人而作」、「修維特的非裔美國藝術收藏展」、「非洲·com：從鼓到數位」。「讓抗拒即你的座右銘：非裔美國人肖像展」，則展出來自華盛頓國家肖像畫廊的七十幅，傑出非裔美國人士的攝影肖像，涵蓋著勞工領袖飛利浦·朗朵夫（A. Philip Randolph）、積極面對種族主義與社會不公的行動份子麥爾坎 X（Malcolm X）、拳擊傳奇人物裘·路易斯（Joe Louis, c.）、歌唱家莎拉·沃閣涵（Sarah Vaughan）、民權領袖馬丁·路德·金恩博士（Martin Luther King Jr.），以及著名歌劇偶像傑西·諾曼（Jessye Norman）等，呈現出一百五十年來，非裔美國人士在艱困的環境中，努力拓展出來的天地。

2009年下半年展出重要的非裔美國藝術家理查·梅修（Richard Mayhew）回顧展。梅修是一位傑出

ately, we celebrate human reinvention, the passion, spirit and knowled... create new la...

People of the African Diaspora carry within them a mosaic of memories. We each adapt in our own wa...

● 博物館牆面圖像（上圖）　● 販賣部（下圖）

畫家也是一位活躍份子，曾在1960年代與藝術家羅梅爾·貝爾登（Romare Bearden）、
諾曼·路易斯（Norman Lewis），以及黑爾·伍德魯夫（Hale Woodruff）共同組成「漩
渦」（Spiral）組織，藉由他們的繪畫陳述種族平等與民權等議題。梅修的繪畫深受當
時代抽象表現主義的感召，畫面流露著即興的揮灑、精神性的色彩與感性的自由造形，
表述出內在心靈對藝術與社會環境的呼應。非洲裔民族博物館的宗旨在作為一個國際性
的博物館，並且在探索非洲的藝術、文化與歷史中，展示、紀錄與陳述非洲繁多族裔的
豐富事蹟與成就。

地址 / 685 Mission Street, San Francisco,
CA 94105
電話 / 415-358-7200
網址 / http://www.moadsf.org/index.html
時間 / 週三至週六11：00－18：00，週日
12：00－17：00，週一、二與國訂假
日休館。
門票 / 全票$10.00，65歲以上與學生
$5.00，12歲以下免費。

猶太當代美術館

Contemporary Jewish Museum

　　創立於1984年的舊金山「猶太當代美術館」，2008年6月才在現址教會街（Mission Street）上嶄新開幕。它是南市場區這個舊金山市藝術、文化與時尚區的新成員，右邊是「工藝與民俗藝術博物館」，對街是「尤巴·布也那花園與藝術中心」。今日「猶太當代美術館」的原始建築是1907年，由建築師威利·波爾克（Willis Polk）所設計興建，

● 猶太當代美術館外觀（左圖） ● 藍色菱形塊狀現代化建物（右圖）

在1968年開始被棄置的傑西街太平洋電力與瓦斯廠大樓，今日的「猶太當代美術館」乃這個歷史地標的再利用。由丹尼爾‧里本斯金（Daniel Libeskind）設計的當代美術館，除了保留了歷史建物屬於市民美學的傳統外觀外，還增加了一個用藍色鋼版所構成的神祕、傾斜的菱形塊狀現代化建物，如同羅浮宮的金字塔，在傳統與創新中，為這個歷史建築與當代美學意念作了極佳的連結。館內現代化的展覽空間，除了白淨外，設計上還有許多斜切壁面、樑柱與高挑的屋頂，流露出該館不依附常規，期盼走在當代與前衛之路的風格與宗旨，而且絕對不去擁抱充滿悲劇的過去歷史。館外有一片開闊的廣場、水池，似乎象徵著該館擁抱當代的格局與氣魄。廣場上還有該館咖啡廳的座椅，面對著

●大廳（左上圖）　●威廉・史戴克展景 Photo by Bitter & Bredt（右上圖）　●二樓景 Photo by Bitter & Bredt（左下圖）
●耶爾・巴塔納（Yael Bartana）短暫記憶（Short Memory）2005 錄像裝置展景 Photo by Matthew Septimus © P.S.1 Contemporary Art Center（右下圖）

「尤巴・布也那花園」，讓人們能夠在此遊走或歇息小坐，懷想著舊金山的歷史點滴。

這個當代館沒有館藏品，因此以舉辦各類藝術展覽、音樂、影片、文學，以及教育活動為主軸，期望能夠吸引更多非猶太人群眾的參與，各項展覽與活動的宗旨在以當代的視野來呈現猶太人的文化、歷史、藝術與觀念。舉辦過的展覽有「夏卡爾與蘇聯猶太劇院的藝術家，1919-1949」、「生活的藝術：以色列博物館的當代攝影與錄像展」、「在原初：藝術家對創世紀的回應」、「從紐約客到史瑞克：威廉・史戴克的藝術」（From New Yorker to Shrek：The Art of William Steig）等等。

2009年推出的「安迪・沃荷的猶太人：重新審視十幅肖像」展覽，則提呈出安迪・沃荷對20世紀重要而傑出的猶太思想家、政治家、藝術家、音樂家、作家等的描繪，包括有：物理學家愛因斯坦、心理分析大師佛洛伊德、以色列總理梅爾夫人、美國作曲家

館內景 Photo by Mark Darley

"Being Jewish"

A BAY AREA PORTRAIT

Welcome to "Being Jewish" A Bay Area Portrait. This exhibition reflects the vibrant texture of local Jewish life and celebrates the diversity of the Bay Area. The photocollage was assembled through a call for photographs asking people to broadly consider what "being Jewish" in the Bay Area means to them. The enthusiastic response was as varied as the community. From challah to hiking, from Hanukkah to hanging out with family and friends, from Torah to baseball, in the photographs you will discover a dynamic mix of Jewish expression.

Similarly, the objects on display suggest the flavor of Jewish life in the Bay Area, both past and present. They represent many of the holidays and life-cycle events, as well as popular expressions of Jewish identity that you can see in the photocollage. In dialogue, the objects and photographs present a portrait, with room for interpretation and elaboration, of the many different ways of "being Jewish" in the Bay Area today.

To learn more about some of the Jewish holidays, rituals, and concepts in the exhibition, please take a copy of the "Being Jewish" glossary.

● 教育中心（Sala Webb Education Center，左跨頁圖）

喬治・蓋希文（George Gershwin）、法國演員莎拉・伯哈特（Sarah Bernhardt）、首位猶太裔美國高等法院法官路斯・布蘭迪（Louis Brandeis）、哲學家與教育家馬丁・巴伯（Martin Buber）、喜劇演員馬克思兄弟（the Marx Brothers）、卓越作家法蘭茲・卡夫卡（Franz Kafka）與美國前衛作家、詩人暨劇作家葛楚・史坦（Gertrude Stein）。這十位傑出猶太人士可以說，影響了20世紀人類文化與生活的各個層面。沃荷在他獨創的美學觀中，在色彩鮮明的圖像以及線條的勾勒中，為這些歷史上的重要人物，也是猶太人文化中的瑰寶，留下了永恆的普普風貌。

（圖片由猶太當代美術館提供 Photo courtesy Contemporary Jewish Museum）

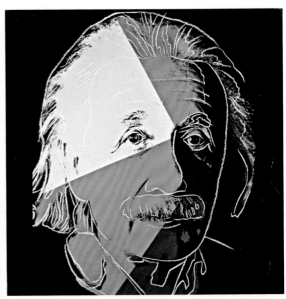

● 安迪・沃荷 愛因斯坦 20世紀十位猶太人肖像系列 1980 合成聚合物漆、絹印、畫布 101.6×101.6cm © 2008
Andy Warhol Foundation for the Visual Arts/ARS, New York/ Courtesy Ronald Feldman Fine Arts, New York/ www.feldmangallery.com（右上圖）

● 安迪・沃荷 莎拉・伯哈特 20世紀十位猶太人肖像系列 1980 合成聚合物漆、絹印、畫布 101.6×101.6 cm ©
2008 Andy Warhol Foundation for the Visual Arts/ARS, New York/ Courtesy Ronald Feldman Fine Arts, New York/ www.feldmangallery.com
（右下圖）

地址 / 736 Mission Street, San Francisco, CA 94103
電話 / 415-655-7800
網址 / http://www.thecjm.org/
開放時間 / 週一、二、五、六、日11:00－17:00，週四1:00－20:00，週三與國定假日休館。
門票 / 全票$10.00，65歲以上與學生$8.00，18歲以下免費，週四5點後$5.00。

工藝與民俗藝術博物館
Museum of Craft and Folk Art

　　設立於1983年的工藝與民俗藝術博物館，是北加州唯一的一間民俗藝術博物館，原來位於漁人碼頭和金門大橋之間的舊金山灣梅森堡（Fort Mason Center）內，2005年底才遷移至市中心「尤巴‧布也那文化特區」的現址。博物館位於一條短短的尤巴‧布也那街上，這條街銜接著最熱鬧的市場街與博物館密集的教會街，而嶄新的猶太當代美術館就在它的斜前方。

　　工藝與民俗藝術博物館主要在展陳世界各國傳統與當代的工藝和民俗藝術，致力於在展覽與教育活動中陳述出，民俗藝術、當代工藝與純藝術乃具有不可分割的連動性。它的宗旨在向過去與現在的各種文化傳統致敬，頌揚古今無盡的創造力，期望啟發並

●工藝與民俗藝術博物館外觀

● 工藝與民俗藝術博物館正門 Photo by Mike Bianco

且豐富廣大民眾的精神生活。這個館雖然不大也沒有館藏品，但是舉辦過的展覽都相當精采，例如：「席克教派的藝術與工藝」、「感性的曲線：斯堪地那維亞的現代主義者與其對加州當代設計的影響」、「探索靈魂的民俗藝術」、「文化的架構：服裝、主體性與全球化」、「內與外：藝術家的環境」等。

　　近期的展覽「物的形：紙的傳統與轉變」，探究著亞洲尤其是中國、日本、韓國與菲律賓等地的剪紙、折紙、塑紙、紙盒、形紙等的歷史與傳統，同時並置的還有當代藝術家的紙創作與裝置作品。韓國藝術家Jiyoung Chung的作品〈呢喃：羅曼史〉

● 來自新罕布夏恩菲爾德（Enfield）的椅子

●吉娜‧奧斯特洛 失效的圓點（剪紙房） 2008 Lightjet輸出用紙 76.2×96.5cm

（Whisper-Romance），以韓國傳統製紙技術製作出有洞的紅色紙，自由地層次疊置，代表著各種關係之間的對話、呢喃與呼吸，藉此來探索跨文化的人際關係，以及人與自然以及上帝之間的連繫。吉娜‧奧斯特洛（Gina Osterloh）的裝置作品，則運用一般辦公室影印時使用的整包紙，通常只有粉紅色、粉藍色、黃色與綠色，還有工廠的回收紙，裁切成條狀佈滿了整個環境，構成一個視覺上可見的實質的空間與心理的抽象情境，在此人體與環境都被這媒材包圍與佔據，它在美妙的建構中，喻示著現代人生活的狀態與困境。這項展覽對照提陳出了傳統藝術、民俗藝術、當代工藝與純藝術，如何交會融合成為紙媒材持續蛻變的當代風貌。（圖片由工藝與民俗藝術博物館提供 Photo courtesy Museum of Craft and Folk Art）

地址 / 51 Yerba Buena Lane, San Francisco, CA 94103
電話 / （415）227-4888
網址 / http://www.mocfa.org/index.htm
開放時間 / 週一至週五11:00－18:00，週六、日11:00－17:00，週三與國訂假日休館。
門票 / 全票$5.00，62歲以上$4.00，18歲以下免費，2009年週二免費。

● 工藝與民俗藝術博物館展覽室景　Photo by Mike Bianco（上圖與左下圖）

● Jiyoung Chung 呢喃：羅曼史 2007 **Joomchi**技術、兩層手製紙 61×45.7cm © Jiyoung Chung（右下圖）

維爾斯·法葛歷史博物館
Wells Fargo History Museum

美國西部的拓荒事蹟與歷史是以前電影中常見的故事，今日在維爾斯·法葛歷史博物館正好可以讓參觀者回味一下那個時代的景象。由亨利·維爾斯（Henry Wells）與威廉·法葛（William G. Fargo）所共同創立的維爾斯·法葛公司，1852年在舊金山市開啟了它至今一百五十餘年的歷史，以驛站馬車提供各種快遞、郵件運送，以及銀行的服務。在19世紀美國西部拓荒時代與淘金熱潮裡，維爾斯·法葛公司的驛站馬車服務網，廣受美國西部地區民眾的歡迎，很快地到了1888年時，該公司已經發展成為了全國性的事業。到了1905年快遞服務與銀行經營被分割開來，快遞服務總部轉移到紐約，而銀行則繼續留在舊金山。在二次世界大戰期間，1918年美國政府接管了所有主要的快遞事業，一夕之間，維爾斯·法葛公司原有的一萬個據點都消失了，只剩下一個銀行，然而藉由與其他銀行的合併，今日維爾斯·法葛銀行仍然屹立不搖，是美國主要的金融機構之一。

WELLS FARGO & CO.

●維爾斯‧法葛歷史博物館外觀 Photo by David Wakely（上圖）　●維爾斯‧法葛歷史博物館展品金秤，1850年代。（左下圖）
●維爾斯‧法葛歷史博物館古董驛站馬車（右下圖）　●維爾斯‧法葛歷史博物館內部展覽景（左頁二圖）

　　維爾斯‧法葛歷史博物館坐落在該銀行在舊金山市金融區分行的一、二樓，展陳與紀錄著維爾斯‧法葛公司一百五十餘年來的事蹟。一進門就可以看到一輛被修復的1868年古色古香的驛馬車，兩邊牆面上佈滿當時與驛馬車有關的社會事蹟、搶劫事件、加州的建設等歷史性圖片與說明，展場還有當時所使用過的槍支、物件、工具、淘金熱時的

HO FOR THE MINES

●維爾斯‧法葛歷史博物館內部展覽景（上圖與左頁圖）

金沙、金秤、百年前所使用的紙張、郵件信封等等。觀眾還可以操作當時的電報機與物件，觀賞電視播放著的一些與驛馬車有關的西部電影的剪輯。在二樓則有一輛休閒用的馬車，讓參觀者得以乘坐親身體驗，並且觀賞當年馬車行走過的沿途景致，聽聽當時候旅行者經歷風沙塵揚的漫漫旅途之經驗談。在當時，這種馬車可以乘坐十八人，九人坐在車廂內，九人坐在車頂上，還可以放置行李、郵件、以及裝在堅固箱子裡的金子等貴重物品，然而搭乘馬車長途跋涉的滋味，想必是極為艱辛的。藉由這個博物館的史料與圖片，可以了解到在1849年淘金熱後崛起的舊金山市，至1906年舊金山大地震的五十年間，維爾斯‧法葛公司在這個城市所擔任的重要角色。在此也得以一窺19世紀後半葉，美國加州地區的社會與生活情景。

　　從維爾斯‧法葛歷史博物館往北走過三條街，即是著名的環美金字塔大樓，再往西走便進入中國城區，可以藉此對照了解中美文化的過去與現在。

（圖片由維爾斯‧法葛歷史博物館提供 Photo courtesy Wells Fargo History Museum ）

地址 / 420 Montgomery Street, San Francisco, CA 94163
電話 / 415- 396-2619
網址 / http://www.wellsfargohistory.com/museums/museums_sf.htm
開放時間 / 週一至週五9:00－17:00
門票 / 免費

中華文化中心
Chinese Culture Center

　　中華文化中心隸屬舊金山市中華文化基金會，是在1965年正式成立的非營利機構，設址在舊金山金融區邊緣希爾頓飯店的三樓，背對著著名的「環美金字塔」大樓，正面則朝向1837年即被規劃出的花園角廣場（Portsmouth Square）。花園角廣場早年原來是個小漁村，為紀念第一艘登陸舊金山的船隻「珀士莫斯」號（Portsmouth），而以之為名。花園角廣場是中國人給它的稱謂，此地又被稱為「中國城之心」。舊金山市中國城即從這個地方開始發展出來，而且花園角廣場至今仍然是中國人聚集打太極拳或玩麻將之處。因此中華文化中心就處於傳統中國文化與現代金融產業的交界。

　　中華文化中心的宗旨在傳承、弘揚並影響華人及美國華裔文化的發展。所提供的多元活動項目包括：藝術與收藏展覽、講座、論壇、電影放映、語言、美術課程和文化交流活動。中華文化中心入口大廳有一片牆展示著中國傳統陶瓶器皿與繪畫，左邊有一間商店展售具有中華傳統的物品，右邊的長方形空間即定期更換展覽的畫廊。展覽涵蓋著傳統與當代藝術，例如：「20世紀的茶壺」展、「中國新年版畫」展、「存在的印記：美籍亞裔藝術展」、「中國傳統益智遊戲」展、「新銳藝術展」等。

●馬良 鄉愁No.24 攝影 2006（左圖）　　●納丁・沙貝拉（Nadim Sabella）在霧中 裝置 2009（右圖）

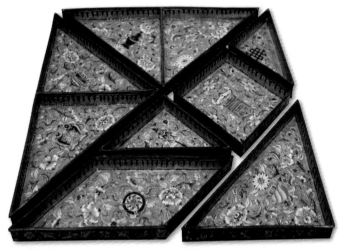

2009年的展覽「劉北立大型裝置藝術展：惑」，使用了數百條紅色線環繞成無數圓盤，再相互牽連垂掛佈滿在整間畫廊的屋頂與地板之間，輕微的空氣流動讓圓盤如同水蓮般浮動著，垂掛著的線條也飄動交纏著，構成了一個神祕而且神聖的情境。藝術家創作的靈感來自中國民間傳說中，相愛的人之間自出生就有一條無形的紅色絲線綁在兩人的足踝上，在茫茫人海、世事難測中，命運終會讓兩人相遇。那紅色就如同生命的血脈，也是純真感情的象徵。另一項展覽「現在式雙年展：華藝先鋒」，則展出了三十一位來自灣區內外的年輕藝術家作品，展覽形式包括攝影、錄像、油畫、動畫、雕塑及裝置等類型，主展場設在舊金山中華文化中心畫廊，並延伸至九個散佈在中國城的臨街櫥窗中。這項展覽企圖以全新而多樣化的視角，呈現出當代的年輕藝術家們與不斷變遷著的世界交融相處的新思維。馬良的攝影〈鄉愁No. 24〉，捕捉著一位男士駝背向下凝視著變得很渺小的天安門建築，那個象徵著中國人民爭取民主自由的悲劇

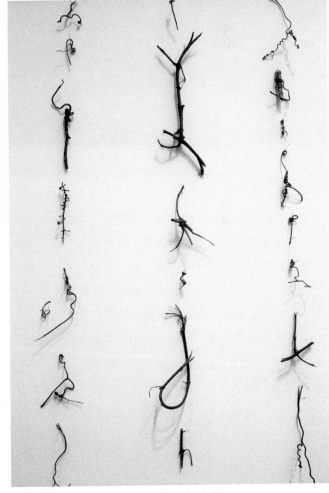

● 拼圖展覽（上圖）　　● 崔斐 自然手稿之物 裝置 2009（下圖）

事件，已然成為歷史的過去，逐漸為人遺忘。崔斐的作品〈自然手稿之物〉，使用小樹枝的自然造型組構成如同中國書法的文字稿，讓自然與中國文化在抽象的形塑中展現新意。卜樺的動畫短片〈慌慌〉，以自然與動物來對照著背景上的現代化建築，畫面看起來甜美如同超現實的童話世界，華麗卻又充滿了無奈，這部動畫似乎冷眼旁觀著今日世界的危機，如金融海嘯、城市的過度建設等，主角小女孩與梅花鹿藉著吹管來排解心中的恐慌、茫然與焦慮，這件作品隱喻著世人面對當前危機的脆弱與渺小。

中華文化中心還有一個網上畫廊，歡迎藝術家自行上傳作品圖片加入展覽，以及瀏覽其他藝術家作品。中華文化中心也提供中國城歷史文化的導覽，在每週二至週六的10點、12點與2點，大人費用美金18元，十二歲以下孩童費用美金12元。

（圖片由中華文化中心提供 Photo courtesy Chinese Culture Center）

地址 / 750 Kearny Street, 3rd Floor, The Hilton Hotel, San Francisco, CA 94108-1809
電話 / 415-986-1822
網址 / http://www.c-c-c.org/
開放時間 / 週二至週六10:00－16:00
門票 / 免費

劉北立大型裝置藝
術展：惑（本頁圖）
卜樺 慌慌 動畫短片
2009（左頁圖）

美國華人歷史學會博物館
Chinese Historical Society of America Museum

　　中國城是舊金山市最古老的區域，也是亞洲以外最大的東方人社區。一般人來到舊金山，多半會到中國城觀光購物或吃中國食物，但是可別忽略了美國華人歷史學會博物館即位於中國城內的一個小巷裡。美國華人歷史學會創立於1963年，為一個非營利組織，宗旨在保存北美洲華人的歷史。1996年，該學會購買了原屬於YWCA的古建築作為其總部，2001年11月，美國華人歷史學會博物館與學習中心正式對外開放。這棟壯麗的YWCA大樓建於1932年，由著名建築女傑朱莉亞·摩根（Julia Morgan）所設計，包括數層結構體與三座中國塔，還有中國式屋瓦、裝飾性的牆面窗格、石造拱門、圓形窗戶與鐵窗格、傳統中國庭園等，倒是作為美國華人歷史學會博物館的最佳建築物。博物館內也特別規劃了一間展覽室，專門展陳YWCA的歷史、照片與錄影帶。

　　博物館的常設展覽室以圖片、文字說明與當時的文物展示，陳述出最早在17世紀來到美洲大陸的華人（十九世紀時幾乎全部來自珠江三角洲），第一批數量龐大的中國移民，以及為美國西部之開發、農耕、漁業、鐵路建造、開採礦石等貢獻力量的華人歷史。近期的變動性特展覽有：「紀念1882：在排華法案的陰影下爭取民權」，審視著1882年排華法案的肇始至1968年廢止的歷史性爭議，以及美國華人爭取民權的艱辛過

● 美國華人歷史學會博物館建築外觀（左圖）　　● 美國華人歷史學會博物館建築側面（右圖）

程，還有「大地震：中國城的故事」、「龍、鼓、爆竹、花車：美國華人傳統」，另外也有多項當代華裔藝術家的回顧展等等。博物館也常態性的舉辦影片欣賞、演講、閱讀書籍、工作營等，學習中心則持續地規劃提供教師教學用資源與素材。來到中國城，除了欣賞這棟博物館的建築之美外，還可以藉此加以了解美國華人三百年來的史實。

（圖片由美國華人歷史學會博物館提供 Photo courtesy Chinese Historical Society of America Museum）

地址 / 965 Clay Street, San Francisco, CA 94108
電話 / 415-391-1181
網址 / http://www.chsa.org/
開放時間 / 週二至週六 12:00－17:00
門票 / 全票$3.00，65歲以上與學生 $2.00，6至17歲$1.00，5歲以下免費。每月第一個週四免費。

● 美國華人歷史學會博物館展覽廳（本頁三圖）

太平洋傳統博物館
The Pacific Heritage Museum

太平洋傳統博物館所在大樓建於1875年，原為美國鑄幣廠的舊址，鑄幣廠在加州淘金熱年代因為不敷應用而遷移，改建為前財政部附屬大樓，在1906年大地震後受損，重新改建為現在的單層建築物。舊金山市廣東銀行在1970年購買了這棟大樓，成為前加州廣東銀行總部大樓的一部分，而後在1984年設立了太平洋傳統博物館。2002年全美國以華人社區為主要服務對象的最大商業銀行——聯合銀行收購了廣東銀行與太平洋傳統博物館，持續服務舊金山市民與遊客。

太平洋傳統博物館不大，展覽空間裡定期舉辦著各類與太平洋地區相關的藝術、文化、經濟及歷史的展覽。主題包括有中國的古董文物與家具、泰國的儀式性文物與太平洋的航空業等。除了博物館本身策劃的展覽之外，太平洋博物館亦會展出美國及其他國家博物館所舉辦的展覽。常設展則詳列著鑄幣廠及財政部附屬大樓的歷史及其重要性，陳述著建築物的獨特建築技巧，涵括有建築設計圖、照片、錢幣，以及其他與這棟大樓在舊金山市早期發展有關的文物。此外還有古老的地下保險庫、裝金銀塊的箱子、過去運送錢幣的手推車等。太平洋傳統博物館與中華文化中心、美國華人歷史學會博物館，是中國城裡三個值得參觀的文化機構。

地址 / 608 Commercial Street, San Francisco, CA 94111
電話 / 415-399-1124
網址 / http://www.ibankunited.com/phm_c/home_c.html
開放時間 / 週二至週六10:00－16:00
門票 / 免費

亞洲藝術博物館

Asian Art Museum

　　舊金山的亞洲藝術博物館，是西方國家中以亞洲藝術與文物為主題的最大博物館之一。在1959年，芝加哥的企業家艾佛瑞·布朗德吉（Avery Brundage）同意捐贈他的龐大亞洲文物收藏給舊金山市，但是要求舊金山市政府興建一座博物館來展陳與收藏這些藝術品。1966年6月，這棟公立博物館終於完成對外開放，當時稱為亞洲藝術與文化中心，成為金門公園裡的迪揚博物館的附屬單位，並且由迪揚博物館負責管理與經營。

　　艾佛瑞·布朗德吉持續地購藏著亞洲文物，並且在

● 亞洲藝術博物館外觀（上圖）
● 館內樓梯間圓拱屋頂（下圖）

●日本展覽室（上圖）　　●東南亞展覽室（右頁上圖）　　●印度展覽室（右頁下圖）

1969年再度捐贈收藏給這個博物館，但是要求舊金山市政府讓這個博物館獨立營運，從此這個博物館才有了自己的經費、人員與各類亞洲藝術的專家。到了1973年，亞洲藝術與文化中心正式改名為亞洲藝術博物館。

艾佛瑞‧布朗德吉在1975年過世時，總共捐贈了超過七千七百件亞洲藝術文物給博物館，其中最著名的是一座西元338年的鑲金銅坐佛像，是世界上所知製作於中國最古老的佛像。

由於博物館的藏品逐年增加，空間也越來越不敷使用，1987年舊金山市政府在活絡市政中心（Civic Center）地區的規劃中，決定將市政中心旁邊的總圖書館遷移，讓原圖書館的歷史建築再利用，改建為亞洲藝術博物館的新家。由將巴黎老舊的火車站改建為奧塞博物館的著名建築師葛爾‧奧藍提（Gae Aulenti）所設計改建的亞洲藝術博物館，獲得了公家與私人捐助共一億六千萬美金，其中最巨額的捐款來自矽谷的韓裔美國企業家李鐘文（Chong-Moon Lee），個人捐助了一千五百萬美金，而後又另外捐助一百萬美金給博物館的韓國藝術部門。亞洲藝術博物館在金門公園裡共有三十五年的歲月，2003年3月才在現址，以煥然一新的姿態對外開幕。

●錫克展覽室（上圖）　●中國佛教展覽室（下圖）

　　這個全美國最大的以亞洲藝術為主題的博物館，館藏品超過一萬七千件，跨越了六千年的時空。

　　進入博物館，美麗典雅的大廳、宏偉的樓梯、走廊、圓拱型的高挑屋頂等，保留著古建築原有的雕飾紋案，令人驚艷，在尚未欣賞藝術品之前，倒是可以好好觀賞該館建築之美。典藏品展覽室設於二、三樓，共三十一間，展出作品約兩千五百件，展覽的規劃是從三樓開始觀賞。

　　所有展品幾乎都環繞著三個主題：佛教藝術的發展、貿易與文化交流、當地的信仰與儀式。

　　第1至6號展室，以南亞藝術為主（涵蓋印度、巴基斯坦、孟加拉、斯里蘭卡），展出許多來自佛教發源地的精采印度石雕佛像、印度錫克教傳統有關的繪畫、版畫、織品、盔甲等，以及反映兩千年之間印度主要宗教：印度教、回教與耆那教（Jain）的主要潮流風貌的宗廟雕刻、浮雕、銅像、玉石、小幅繪畫與木刻等。作品如：印度女神像〈婆羅摩尼〉（Brahmani），是一位創造之神。在印度許多的男性神祇都有一位相對應的女性神祇，代表他們能量的一個面向。婆羅摩尼是婆羅摩（Brahma）的對應女神，她有四個面像，陪伴她的動物是一隻野鵝，棲息在她的腳邊。婆羅摩尼是所謂的「七位母性女神」之一，因此這個雕像原來可能與另外

六件雕像並置在神廟裡的。

第5號展覽室裡有一個顯著的鍍金漆銀的大象寶座，以大象鼻子的特徵作為裝飾，內鋪紅色絲絨坐墊與遮陽傘。在印度，大象代表著王室的權力，而這個寶座是在宗教儀式中使用的。

第7號展室展覽著波斯與西亞（包括伊朗、伊拉克、阿富汗、土庫曼共和國與烏茲別克）的藝術，從新石器時代至19世紀的陶器、魯瑞斯坦（Luristan）與伊斯蘭銅器、小幅繪畫與手稿。〈有八角星設計的盤子〉，乍看之下會以為是中國的白地藍花的青花瓷器，事實上是17世紀製作於波斯的薩法維帝國（Safavid Empire）鼎盛之時。在過去數個世紀以來，中國與波斯的文化交流便很頻繁，也互相地採用對方器物的造型與圖案，在17世紀中國明朝末年，由於社會的動盪與自然災害等中斷了瓷器的製作，波斯的陶瓷工廠便盛起大量製造瓷器，以供該國與歐洲對青花瓷器龐大的需求。這件青花盤上精巧的八角星圖案、感性的花葉構圖與釉下彩的運用，足以媲美中國最精采的陶瓷器皿。

第8至11號展室展覽著早期至19世紀的東南亞藝術（柬埔寨、泰國、緬甸、寮國、越南、菲律賓、印尼與馬來西亞），涵蓋著名吳哥窟時期的石雕與銅質物件，重要的泰國繪畫、陶器、雕塑、以及印尼、馬來西亞、菲律賓與

● 婆羅摩尼（上圖）　● 有八角星設計的盤子（下圖）

● 白度母佛像（上圖）　　● 坐佛（右頁圖）

泰國的各式匕首與儀式性物件，印尼、緬甸、越南與菲律賓的雕塑、織品、珠寶、陶器與繪畫等等。

在第9號展覽室的〈印度神祇濕婆與葩娃悌〉，屬於吳哥窟王朝時期的石雕。濕婆額頭中間有第三隻眼睛，他的妻子是葩娃悌。吳哥窟藝術通常強調著神祇的威力與疏離感，這兩位神祇有時候會被塑造成具有多隻手，而且有著令人害怕的兇暴造型。然而自西元900年晚期開始的數個世代，溫和與感性則經常成為表現的重心。這兩件石雕即如此被偽裝成優雅的男性與女性，上面有著精細的服飾與珠寶的紋樣，對照著平滑柔美的肌膚。

第12號展室展覽著喜馬拉雅與西藏的佛教藝術（西藏、尼泊爾、不丹與蒙古），有繪畫、石雕、銅雕、西藏的唐卡卷軸與不丹的織品等。〈白度母佛像〉被認為是「所有佛陀的智慧、憐憫與頓悟行動轉化而成的美麗女神。」她是尼泊爾與西藏的重要女神，在西元600多年，當西藏國王的兩位皇后被神化成為白度母的兩個化身後，開始被朝拜。白度母的右手勢呈現著「施與」，代表她對信徒具有佛陀的精神性與憐憫，她的左手呈現著「無懼」，代表她保護信徒們避免危險與災難。她手掌上的眼睛與雙足上的鞋底，諭示著她掌管解放苦難的四扇門，她優雅的形象則象徵著憐憫與光輝。

第13至20號展覽室，展覽著中國各個時期的藝術瑰寶。第13號展覽室專門展示從新石器時代至今的各式玉石。在第14號展覽室裡屬於商朝晚期的一件〈河馬造型的鍾〉青銅器皿，傳統上被認為是一種飲酒器「鍾」，但是它沒有傾倒的出水口，因此也有可能是用來裝食物的器皿「簋」。通常這些儀式性器皿有標準的造型，豐富的表面裝飾紋案及簡短的銘刻文，但是這件器皿卻有著簡樸的自然造型與冗長詳細的銘文，刻在河馬腹部的內部，讓它在陳列的百件青銅器中獨樹一格。

第16號展室的鑲金銅〈坐佛〉像（338年），是製作於中國的最古老佛像，經常出現在各式教科書中，作為中國佛像藝術的代表。這座佛像的風格受到古代犍陀羅（Gandhara）地區（包括今日的巴基斯坦、阿富汗與印度西北區）佛像雕塑的影響，這類佛像通常很小，以方便經由絲路運行。它們往往刻有製造年代與捐贈者名字，也因為與特定人、地與時間的關連性，而具有不同意義。基本上捐贈這些佛像者，都是為了累積善德獲得善報。

　　第18號展覽室展陳著中國繪畫，其中極為顯著的是明朝晚期變異畫風的畫家吳彬的〈高山間的木屋〉，這件巨幅繪畫約10英尺高，誇張的構圖與造型，流露出作者研習北宋山水畫的形跡，以及受到明朝晚期社會複雜動盪背景與佛教思維的影響，其細膩的筆觸刻畫出了高聳矗立的巨石岩崖與山水，如同某種龐然的有機體對抗著地球的重力法則，也將中國繪畫的垂直畫幅格局極盡地誇大。另外知名中國嶺南畫派前輩畫家趙少昂，數年前捐贈了百幅繪畫給亞洲藝術博物館，因此博物館也特別規劃了一間小展室，讓此地的觀眾們得以欣賞到趙少昂的精采作品。

● 河馬造型的鍾（上圖）　● 印度神祇濕婆與葩娃悌（左頁圖）

●學者的書與文具（上圖，下圖為局部。）　●武士造型埴輪（左頁左圖）　●吳彬高山間的木屋（左頁右圖）

　　第21至23號展覽室展陳的韓國
藝術，是韓國境外最大的一批收藏，
第21號展覽室的〈有蓋的水罐〉作於
高麗王朝時代，雖然當時的水罐通常
採用自然造型，如香瓜或葫蘆型，但
是這件青瓷釉陶器卻有著簡潔的圓柱
形體、平而挺的肩膀、平扁而鮮明的
環狀把手，蓋子則是雙層蓮花造型，
與毫無裝飾的瓶身形成對比，它的青
瓷釉薄、透而且具有光澤，足以媲美
中國著名的越窯與汝窯青瓷器。

　　第22號展覽室的〈學者的書與文
具〉繪畫，畫在八個折疊畫幅上，乃
19世紀朝鮮王朝宮廷裡盛行的主題，它描繪著學者們的書房裡會有的成疊書籍、毛筆、
墨、硯台、卷軸、古董文物等物品。為了精確呈現櫥櫃內各式的物件，畫家極具有創意
地，運用了西方的透視法在櫥櫃內部空間表現上，同時也採用東方多重消失視點與等比
例透視法則，來描繪陳列著的各式物品。

第24號展室，是作為特別規劃之主題展覽的空間。

第25至30號展覽室展陳日本早期藝術、佛教雕塑、繪畫與屏風、陶瓷與18、19世紀浮世繪版畫、裝飾藝術與織品、精采的竹籃收藏等。

第25號展室的〈武士造型埴輪〉，乃製作於日本的古墳時代（300-600年）的陶俑。這類陶俑可能作為陪葬用，通常被放置在統治階級的墳墓內及其周圍，以便在來世保護死者，也作為墳墓的屏障。原本只是簡單的陶柱型，而後逐漸被裝飾成人、動物、房子或船造型。這件武士造型陶俑穿戴著完整的武士頭盔、肩部盔甲、臂飾與劍，腰飾下是膨大繫緊在膝蓋的褲子，可以看出當時的服裝風貌，極具歷史意義。

● 四季風景（跨頁圖）　　● 有蓋的水罐（左頁下圖）

第28展覽室的〈四季風景〉，是繪16世紀的一對兩件六折幅屏風繪畫。四季的主題常見於日本的繪畫與裝飾藝術；這兩幅屏風從右邊到左邊，描繪著季節的變遷。右邊那幅畫面左右兩邊是崎嶇的山崖，中間有水面與一個小島，可以看到幾個人物出現在花卉盛開的山徑，代表著春天；在水面上划船從事戶外活動的人們代表著夏天。左邊那幅畫面上的右邊，有一位學者與其助手朝向他們的住宅而去，代表著秋天；其左邊更顯蕭瑟的山水景觀裡，則有隱士要退回被白雪覆蓋的屋內去，代表著冬天。這幅精彩的水墨畫的作者式部輝忠（Shikibu Terutada）是日本室町時代最重要的畫家之一。

第30號展覽室展陳著近代與當代的竹藤編籃器，是日本境外最顯著的竹藤籃器收藏。

一樓則有三間特展室，近期舉辦過的展覽有：「來自阿富汗卡布國家博物館的珍藏」、「中國明朝宮廷藝術」、「17至19世紀的日本繪畫」、「土耳其至印尼的回教世界藝術」、「不丹的神聖藝術」等。一樓還有教育中心、資源中心與餐廳，博物館餐廳提供的東西方風味餐點，算是此地博物館中較具特色的，值得品味。（本文圖片均由亞洲藝術博物館提供 Photo courtesy Asian Art Museum）

地址 / 200 Larkin Street, San Francisco, CA 94102
電話 / 415-581-3500
網址 / http://www.asianart.org/
開放時間 / 週二至週日10:00–17:00，週四10:00–21:00，週一與元旦、感恩節、聖誕節休館。
門票 / 全票$12.00，65歲以上$8.00，學生$7.00，12歲以下免費，每月第一個週日免費，週四17:00後$5.00。

表演藝術與設計博物館
The Museum of Performance & Design

● 表演藝術與設計博物館Logo（左圖）　● 針對小學三至六年級學生所做的教育活動（右圖）

　　舊金山的表演藝術與設計博物館，是美國境內第一個以表演藝術與劇場設計為主題的博物館。從19世紀中葉以來，舊金山市就是個文化薈萃之地，各類型的藝術活動蓬勃，到20世紀初的50年間，僅歌劇表演一項就已經有超過五千場以上。這類藝術多元而豐富的文化資產即被收藏與保存在這個博物館裡，博物館的使命在藉由展覽、推廣活動與研究，來教育大眾表演藝術對我們生活的影響與其價值。

　　曾經舉辦過的重要展覽如：「賀希費爾德：百年禮讚」（Hirschfeld: A Centennial Celebration）展出著名漫畫／諷刺畫家艾爾‧賀希費爾德畫筆下所捕捉住的表演藝術風貌，尤其是百老匯劇場，他那機智和無與倫比的畫藝風格在美國風靡了七十五年。該展涵蓋了四十幅原版素描，描繪著明星演員如早期的伊索‧摩曼（Ethel Merman）到艾爾‧帕西諾（Al Pacino），古典歌舞劇如〈奧克拉荷馬〉與〈畫舫璇宮〉等等，呈現出了一部迷你的美國劇場歷史。其他特展還有「舊金山芭蕾舞團七十五年設計展」、「西岸的哈林區：舊金山的爵士樂時代」、「中國平劇的後台」等。2009年的典藏展覽有：「加州舞蹈150年回顧」、「早期舊金山舞台上的明星」、「1900年的舊金山舞台」、「歌曲中的舊金山」、「湯姆‧辛伯洛夫的大師攝影肖像展」，以及演出《我愛紅娘》歌舞劇著稱的卡蘿‧錢寧（Carol Channing）六十年回顧展，展出著她個人以及博物館

● 「舊金山芭蕾舞團七十五年設計展」作品

●「舊金山芭蕾舞團七十五年設計展」場景

的相關收藏，包括服裝、稀有照片、錄影與錄音資料、海報、劇本、素描、獎項等等，
舖陳出了這位巨星傳奇的一生。

　　表演藝術與設計博物館的圖書館則致力於收藏、保存與提供大眾有關表演藝術與
劇場設計相關的文物與資料。涵蓋了檔案室、參考資料收藏、特殊收藏與劇場設計收
藏，保存了加州與其他地區表演藝術相關的文物約三百五十萬件，包括期刊、海報、節
目單、攝影、樂譜、劇本、音樂錄音檔案、訪談錄音、1856年以來的剪報、七千本書
籍、兩千份錄影帶，還有口述歷史、劇場設計資料、服裝、場景設計、表演者與公司團
體文件檔案等等，豐富的收藏僅次於華盛頓特區的林肯表演藝術中心。有興趣探究這方
面資料者，可以接洽該館預約時間去做查閱。

（圖片由表演藝術與設計博物館提供 Photo courtesy The Museum of Performance & Design）

地址／Veterans Building, 4th Floor, 401 Van Ness Avenue, San Francisco, CA 94102.
電話／415-255-4800
網址／http://www.sfpalm.org/
開放時間／週三至六12:00－17:00
門票／免費

都羅瑞斯教會博物館
Museum of Mission Dolores

　　興建於1791年的都羅瑞斯教會，是舊金山灣區最重要的歷史珍寶之一，也是舊金山最古老的建築物。它的正式名稱是阿西斯舊金山教會（Misión San Francisco de Asís），以阿西斯的聖法蘭西斯（St. Francis of Assisi）為名，但是卻以都羅瑞斯教會名稱廣為人知。都羅瑞斯教會名稱則來自附近的一條小河，名為「悲傷之河」（Arroyo de los

● 都羅瑞斯教會大會堂外觀（左上圖，右圖為教會大會堂外觀細部。）　　● 都羅瑞斯教會外觀（左下圖）

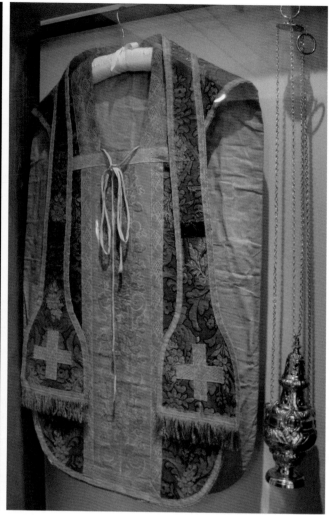

●大教堂內部的鑲嵌畫（左圖）　●都羅瑞斯教會博物館內部（右圖）

Dolores）。它是當時二十一個教會中的第六個，而且是至今唯一完整存留的教會，見證著整個舊金山的發展歷史。

　　入內參觀之前，應該先仔細欣賞一下這棟白淨古老建築物的特色。它運用了三萬六千個磚坯所砌成，有4英尺厚的牆，屋頂使用加州著名的紅木製作的圓木條建構，內部有高挑的圓拱屋頂。進入室內會看到鍍金裝飾的華麗宏偉的主聖壇，是1796年從墨西哥運過來的，主聖壇兩旁的副聖壇各有三尊木質雕像，都是在墨西哥雕造，1810年運到這個教會，聖壇上的金箔至今兩百年仍然如昔。教堂屋頂是用植物染色彩繪出印地安奧倫族編籃器上的特殊圖案，懸掛著的三個古老銅鈴來自墨西哥，代表對三位聖人──約瑟夫（Joseph）、法蘭西斯（Francis）與馬丁（Martin）的致敬。教堂內部的兩旁還有許多古老的宗教繪畫、雕像以及悲傷女神（Lady of Sorrows）的木雕像。在1976年，教會旁邊一間教室被轉變為小型博物館，展示著一些紀念性物品與文物，有些是裝

● 宗教繪畫（左圖）　　● 都羅瑞斯教會全景素描（右圖）

● 都羅瑞斯教會內部主聖壇近景

●阿希斯的聖法蘭西斯雕像（左圖）　●古老的墓園（右圖）

尼裴洛‧瑟拉（Junipero Serra）神父的捐贈。尤其珍貴的是1776年的受洗登記、加州教會的石版畫、來自菲律賓的聖龕等。教會外面有一個舊金山市最古老的墓園，埋葬著五千位西班牙人、墨西哥人、沿岸地區的印地安人與美國北方佬，許多墓碑上的日期早自淘金熱時期。

　　小教會左邊在16街與都羅瑞斯街口的大教堂，在1906年舊金山大地震時崩塌，1918年重建完成，在1952年由教宗皮爾斯十二世（Pope Pius XII）指定為大教堂。這個大教堂內部典雅，兩邊裝飾著美麗的鑲嵌畫，在裡面靜坐片刻感受宗教的崇高神聖氛圍，真能夠滌除塵俗之煩躁。這個教會是認識舊金山之源起與歷史不可遺缺的地點。

地址／3321 Sixteen Street, San Francisco, CA94114
電話／415-621-8203
網址／http://www.missiondolores.org/
開放時間／每日9:00－16:00
門票／自由捐贈

人生因藝術而豐富・藝術因人生而發光

藝術家書友卡

感謝您購買本書，這一小張回函卡將建立您與本社間的橋樑。我們將參考您的意見，出版更多好書，及提供您最新書訊和優惠價格的依據，謝謝您填寫此卡並寄回。

1.您買的書名是：_____

2.您從何處得知本書：

☐藝術家雜誌　☐報章媒體　☐廣告書訊　☐逛書店　☐親友介紹

☐網站介紹　☐讀書會　☐其他

3.購買理由：

☐作者知名度　☐書名吸引　☐實用需要　☐親朋推薦　☐封面吸引

☐其他_____

4.購買地點：_____市（縣）_____書店

☐劃撥　☐書展　☐網站線上

5.對本書意見：（請填代號1.滿意 2.尚可 3.再改進，請提供建議）

☐內容　☐封面　☐編排　☐價格　☐紙張

☐其他建議_____

6.您希望本社未來出版？（可複選）

☐世界名畫家　☐中國名畫家　☐著名畫派畫論　☐藝術欣賞

☐美術行政　☐建築藝術　☐公共藝術　☐美術設計

☐繪畫技法　☐宗教美術　☐陶瓷藝術　☐文物收藏

☐兒童美育　☐民間藝術　☐文化資產　☐藝術評論

☐文化旅遊

您推薦_____作者 或_____類書籍

7.您對本社叢書　☐經常買　☐初次買　☐偶而買

藝術家雜誌社　收

100　台北市重慶南路一段147號6樓

6F, No.147, Sec.1, Chung-Ching S. Rd., Taipei, Taiwan, R.O.C.

Artist

姓　　名：＿＿＿＿＿＿＿＿　　性別：男□ 女□ 年齡：＿＿＿＿

現在地址：＿＿＿＿＿＿＿＿＿＿＿＿＿＿＿＿＿＿＿＿＿＿＿＿

永久地址：＿＿＿＿＿＿＿＿＿＿＿＿＿＿＿＿＿＿＿＿＿＿＿＿

電　　話：日／＿＿＿＿＿＿＿　手機／＿＿＿＿＿＿＿＿＿＿

E-Mail：＿＿＿＿＿＿＿＿＿＿＿＿＿＿＿＿＿＿＿＿＿＿＿＿

在　　學：□ 學歷：＿＿＿＿＿＿　職業：＿＿＿＿＿＿＿＿＿＿

您是藝術家雜誌：□今訂戶　□曾經訂戶　□零購者　□非讀者

客戶服務專線：**(02)23886715**　E-Mail：**art.books@msa.hinet.net**

舊金山藝術學院——華爾特與麥克賓畫廊

San Francisco Art Institute - The Walter and McBean Galleries

　　舊金山藝術學院是由一群懷抱理想的藝術家與作家們在1871年所創立的。這個美國西岸最古老的學校，其宏偉的建築屬於西班牙殖民時代的風格，有著狹窄的走廊與拱形的通道，乃舊金山著名建築師亞瑟‧布朗（Arthur Brown）在1926年所設計的。自創校以來舊金山藝術學院就成為了美國多項顯著藝術運動發展的核心，與該校有關的具影響力藝術家如：攝影家暨動畫先驅愛德華‧幕布里基（Eadweard Muybridge）、舊金山勞工運動與西部風景畫家梅納德‧迪克森（Maynard Dixon）、首位獲得全國聲譽的加州非裔美籍藝術家薩吉‧克勞德‧強森（Sargent Claude Johnson）、雕刻著名拉希摩爾山（Mt. Rushmore）四總統雕像的約翰‧葛宗‧柏格倫（John Gutzon Borglum）等。二次世界大戰後，舊金山藝術學院成為了西岸抽象表現主義藝術的中心，吸引了馬克‧羅斯柯（Mark Rothko）、哈瑟爾‧史密斯（Hassel Smith）與法蘭克‧羅伯戴爾（Frank Lobdell）來到此地。1946年，安塞爾‧亞當斯（Ansel Adams）在舊金山藝術學院創立了全國第一

●舊金山藝術學院建築

個藝術攝影學系，伊莫肯‧康寧漢（Imogen Cunningham）、朵勒西亞‧蘭（Dorothea Lange）與愛德華‧威斯頓（Edward Weston）都成為了該系的教師。在1950年代，紐約著名抽象表現主義藝術家克里佛德‧史提爾（Clyfford Still）、艾德‧萊茵哈特（Ad Reinhardt）與馬克‧羅斯柯等人都曾執教該校。另外深深影響了該校的學生與當地藝術風貌的還有，灣區具象繪畫運動的代表人物理查‧迪本孔（Richard Diebenkorn），以及融匯了抽象、具象、敍述性與爵士樂的獨特加州現代藝術形式，例如瓊‧布朗（Joan Brown）等人。

1930年，著名的墨西哥壁畫家迪艾哥‧里維拉（Diego Rivera），應邀到該校創作留下了一幅巨大壁畫〈展現城市興建的壁畫製作〉，成為了舊金山藝術學院迪艾哥‧里維拉畫廊三幅迪艾哥壁畫的核心作品。這件壁畫佔據了迪艾哥‧里維拉畫廊最盡頭的整面牆壁，呈現出壁畫中的壁畫，描繪著一個現代城市的興建。這幅壁畫被木製鷹架劃分為六個部分，左邊上方有英國雕塑家克里佛德‧懷特（Clifford Wight）正在磨鑿刀，站立著的是雕塑家拉爾夫‧史代柏爾（Ralph Stackpole）在處理石雕的頭部。中間上方居中坐著背對觀者的是迪艾哥‧里維拉，看著助手們工作。中間下方有三個人在看設計圖，中間那位是委託迪艾哥製作壁畫的舊金山藝術協會會長威廉‧葛斯托（William Gerstle），與旁邊兩位建築師討論著細節。迪艾哥繪製了許多草圖與細部圖，構想者各種畫中畫製作的不同內容與形式，這些草圖素描都展示在畫廊裡。迪艾哥是墨西哥壁畫復興的巨匠，由於對壁畫的未來性以及成為公共藝術之信念，他將壁畫帶入了現代藝術與建築裡，當時在舊金山及美國其他地區的壁畫創作，更對美國繪畫產生了極大的影響。迪艾哥也是墨西哥的共產黨員，充滿了激進的政治思想，作品以描繪勞工階級的社會寫實主義著稱。但是他在此地所作的壁畫，則巧妙地將自己的政治理念融入了精簡的史實裡。

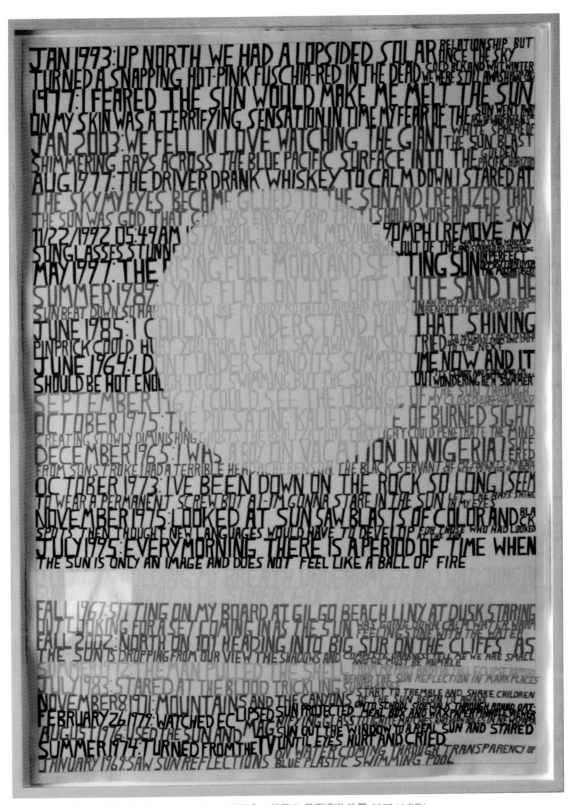

● 詹斯・漢寧 藝術與移民的經驗 2008（左圖）　　● 方璐 不要談政治 2008 雙頻道錄像裝置（右圖）

　　舊金山藝術學院的主要展覽場所是華爾特與麥克賓畫廊，以當代藝術的展覽、實驗、演講與論壇為重心，積極推動藝術創作的嶄新模式，以拓展藝術的新定義與藝術家在這個全球化的文化架構中的新角色。它的展覽與公眾活動包括五個相互貫穿與連結的主題：「全球性人物」，展出來自不同文化背景而具有國際影響力藝術家的個展；「新創作模式」，展出以全球化下的經濟、工業與科技之文本來創作的藝術形式；「城市行動」，以畫廊作為涉入大型都會計畫的出發點，以加強藝術創作與公共空間之關係；「太平洋的觀點」，注重於展陳太平洋邊緣的美國與亞洲的當代藝術風貌；「新聲音」，則提供空間以鼓勵年輕策展人與行動主義者發表其創發性的計畫。

　　近期屬於「新聲音」的展覽如「我們記得太陽」，本展質疑著60年代末延續至今，充溢著本地與全球各地進步的思想與行動中的烏托邦理想以及反文化的時代精神；在留戀過去與失望中、在建構與解構之外，是否還有潛在的政治性樂觀與行動的真誠事蹟？尚・歐戴爾（Shaun O'Dell）的同名繪畫作品，以太陽作為「美國」的隱喻，他請朋友們每人寫下一句對太陽的記憶，再將這些句子繪寫在紙上呈現出太陽的形象，旁邊播放著歐戴爾訪問業餘太空人吉姆・武伯（Jim Uber）觀看與紀錄太陽的錄影帶，藉此歐戴爾企圖陳述出不同的個人與太陽的關聯，已然形成了一種個人的神話，太陽與人性的關連，於此也超越了國家的界線。塔拉內・賀馬米（Taraneh Hemami）的作品〈最高通緝〉，使用了八萬七千顆六毫米大的珠子，串連製作出一片巨大的簾幕，呈現出在網站上所找到的通緝恐怖份子的海報圖像的放大版本，每一顆珠子代表著80K圖檔的一個最小像素。在此，賀馬米審視著認知、辨認與再現的本質，也經由一系列恐怖份子的無臉肖像來探究西方世界對「新敵人」的建構。約翰・羅路夫（John Roloff）的作品〈長英礦／鎂／碳酸鹽構成的外觀〉，乃對探測地點之地理狀況的回應，他以觀念性手法來面對地點、發展過程與自然體系，經由素描、版畫、雕塑與裝置形式來探討它們的環境潛能，以及地質上與自然的現象。

另外布魯斯・麥克高（Bruce McGaw）的繪畫與素描展，則一貫地探究著在歐洲繪畫歷史中，從簡單至繁雜的全色域表現裡，所強調的人物、色彩與畫面建構的寓意性。〈在小丘上的孩子〉這件作品，鮮明飽滿的色彩充溢在畫面四周的景物，聚集在前景上特意安排的孩子們有吹喇叭、有跳舞、有畫畫的，愉悅的孩子們的色彩與週遭景物則形成強烈的對比，其中一個孩子手上停著一隻鳥，站在傾斜靠在小丘看似不穩定的梯子上，如此有別於傳統卻又充滿了寓意的大膽構圖令人驚異，而華麗歡樂的畫面與孩子們天真崇高的野心，卻又隱約地流露著危險的警訊。詹斯・

● 布魯斯・麥克高 在小丘上的孩子 1995

漢寧（Jens Haaning）的展覽則涵蓋著裝置、攝影與表演，漢寧多年來持續地探索著藝術與西方國家移民的經驗之關係，挑戰著西方傳統上對「他者」（the other）的認知，以創造出在這種認知下所產生的文化誤解之間的對話。展覽期間裡，漢寧在舊金山藝術學院駐地創作、表演並參加座談會等等，藉由多種藝術形式來闡述美國當地的種種移民問題。

　　華爾特與麥克賓畫廊專注在當代議題的提呈、表述、探究與「製作」，而不只是傳統式的展出已經完成的作品。它極具前瞻性與觀念性的展覽策劃與公眾參與的活動，尤其注重藝術家的駐地創作、工作室參訪、工作營、校園外的社區創作計畫等等，讓該畫廊的前衛性展覽截然不同於其他美術館或博物館。舊金山藝術學院位於世界上最陡峭的著名九曲花街的轉角，在如此奇特的地裡環境裡，走在藝術的前端，誠然是它與這個城市的最佳呼應。從舊金山藝術學院還可以遠眺舊金山灣內的觀光勝地惡魔島（Alcatraz Island），以及欣賞海灣大橋與金門大橋的壯麗美景。

（圖片由華爾特與麥克賓畫廊提供 Photo Courtesy The Walter and McBean Galleries）

地址 / 800 Chestnut St., San Francisco, CA 94133
電話 / 415-749-4563
網址 / http://www.waltermcbean.com/
開放時間 / 週二至週六11:00－18:00，週日與週一休。
門票 / 免費

舊金山美術館——迪揚博物館
Fine Arts Museums of San Francisco - de Young Museum

　　舊金山美術館包涵著位於金門公園裡的迪揚博物館，以及位於林肯公園（Lincoln Park）的榮軍館（Legion of Honor）。這兩間博物館在1972年合併，組構成了這個舊金山市內最大的公立博物館機構。

　　迪揚博物館創立於1895年，是舊金山最古老的博物館，超過百年的歷史，讓它成為了這個城市文化生態中不可或缺的一個重要象徵。1894年1月《舊金山時報》（*San Francisco Chronicle*）發行人迪揚（M.H. de Young），推動在金門公園裡舉辦「加州國際博覽會」，在博覽會盛況空前的成功結束後，他繼而促使金門公園管理委員會同意建設一座博物館，以紀念這場博覽會的圓滿。除了出錢出力建設博物館外，迪揚也不斷地為博物館購藏藝術品與文物，這些藏品至今仍然是該館的重要館藏。1921年，為了向這位博物館的創始人致敬，該館更名為「迪揚紀念博物館」。

● 迪揚美術館美國繪畫展區（上圖）　● 迪揚美術館外觀 © Fine Arts Museums of San Francisco（左頁圖）

　　原來的博物館是一棟埃及風格的建築物，因為歲月的毀損在1931年被改建。今日嶄新的博物館建築則是在2005年10月15日完成並且對外開放，由著名的瑞士籍賀佐格與德摩倫（Herzog & de Meuron）以及馮與詹（Fong & Chan）建築師事務所合力設計建造。為了讓這棟21世紀的嶄新博物館，在今日綠色建築的理念下，巧妙地融入周圍公園的環境與綠意，它完全使用著自然而溫暖的建材，如銅、石材、木與玻璃。這棟褐色的建築物乍看之下有一點怪異，但是近看會發現那古銅色外牆表面上，佈滿著獨特的圓孔狀抽象圖案設計，呈現出別有新意的質感與表面肌理。建築師的設計靈感是來自陽光穿透密佈的樹林所投下的光點般景象。

● 迪揚美術館戶外的芭芭拉・黑普沃斯（Barbara Hepworth）雕塑作品 1965 © Fine Arts Museums of San Francisco

● 提歐提華肯壁畫 600-750 火山灰、萊姆、礦物性顏料、泥製襯板 59.1×405.1× 5.7cm © Fine Arts Museums of San Francisco

而選擇為此建築物穿上銅色的外衣，是因為銅會隨時間氧化產生綠繡，如此這棟建築物將會在歲月裡逐漸地、也美妙地與其周圍環境融為一體。這個思維可以看到，有前瞻性的建築理念及綠色建築的另類作法。博物館大片的玻璃，則消除了館內空間與館外盎然綠意之隔閡。博物館的東北角有一座144英尺高的塔，做為教育學習中心，頂樓則是瞭望層，可以看到博物館對面在2008年9月份才嶄新開幕的「加州科技學院」，以及金門公園四周與遠方美麗的舊金山城市景觀。

迪揚博物館的收藏以17至20世紀的美國藝術、美洲原住民藝術、非洲及太平洋地區的藝術為主。一樓畫廊展出著美洲藝術、當代工藝以及20世紀當代藝術。美洲藝術收藏共有兩千五百件，重要的文物例如：哈諾德‧華格納（Harald Wagner）的遺贈，〈提歐提華肯壁畫〉（Teotihuacan murals, ca 600-700）碎片，這是在墨西哥境外最大的提歐提華肯壁畫收藏。因為曾經是被掠奪的古代文物，讓博物館與墨西哥政府周旋數年後，在文物歸還祖國的敏感領域裡達成了最後的協議，而迪揚與墨西哥的文物維修專家們，也共同地維修這件來自該地區，屬於古代前西班牙時期的首都，神秘的提歐提華肯的稀有壁畫的碎片。這個古壁畫碎片上描繪著有羽毛的蛇與無數開花的樹，表述出該古文化以具有象徵性圖像作為視覺溝通的架構，至今仍然是學者們探索該文明的重要文物之一。其他重要藏品例如：來自納茲卡（Nazca）文化，以金錘鍊出的祕魯面具，以及來自阿

●有翼緣圓筒狀器皿 650-800 瓦器、漆彩 © Fine Arts Museums of San Francisco（左圖）
●高角櫃 1780（右圖）

拉斯加的10英尺高的圖騰柱、有翼緣圓筒狀器皿等等。

　　美洲藝術區後面的一個比較小的展覽室，展出著來自朵勒希與喬治‧塞克斯（The Dorothy and George Saxe）的當代工藝收藏，涵括著各種媒材如：陶、玻璃、木、纖維、金屬的展品，雖然展出數量並不龐大但是品質精美，也深具各個藝術家創作上的代表性，重要藝術家如：陶藝家羅伯特‧安納森（Robert Arneson）、維奧拉‧佛萊（Viola Frey）、彼得‧佛寇斯（Peter Voulkos）、比雅翠絲‧伍德（Beatrice Wood）、玻璃藝術大師戴爾‧屈胡利（Dale Chihuly）、纖維藝術家莉亞‧庫克（Lia Cook）等人。一進入這個展覽室，馬上就會看到著名灣區的陶藝家維奧拉‧佛萊的巨大而且色彩俗麗粗率的男士陶塑像，超過11英尺的巨大高度，讓這位穿著筆挺西裝似乎具有權勢的男人，卻又呈顯著虛華的脆弱性。佛萊所塑造的人物只是普通百姓，卻內心隱藏著某種思維，低頭看著周遭走過的觀眾，而觀眾就如同無辜的孩子，總是充滿好奇地仰望著巨人。這些作品揭示出了當代工藝創作與藝術之間的界線已然模糊，因為這些藝術家驚人的創意與辨證性思維，讓他們的作品已然超越了工藝媒材與技法的傳統定義。

　　迪揚的美國雕塑與裝飾藝術收藏共約有五千件，從美國雕塑家大衛‧史密斯（David Smith）之作品，到法蘭克‧洛伊德‧萊特（Frank Lloyd Wright）的〈生命之樹〉窗戶等等，種類廣泛，再加上朵勒希與喬治‧塞克斯捐贈的六百餘件工藝收藏，讓

● 朵勒希與喬治‧塞克斯畫廊（Dorothy and George Saxe Gallery） ©Fine Arts Museums of San Francisco

迪揚成為了當代工作室工藝（studio craft）的主要收藏機構之一。一樓左後方是當代藝術展覽區，為20世紀現代主義以至二次世界大戰後數十年間的美國藝術，提出了綜覽性的觀照，涵蓋了歐姬芙、里亞哥、葛倫‧伍德（Grant Wood）、大衛‧史密斯、威廉‧杜庫寧、理查‧迪本孔、威恩‧希伯德（Wayne Thiebaud）等人的作品。

迪揚的美國繪畫收藏非常豐富，超過了一千一百幅，主要是來自洛克菲勒（Rockefeller）捐贈的收藏，佔據了二樓約四分之一的展場。重要的作品例如：喬治‧蓋勒伯‧賓漢（George Caleb Bingham）的〈在密蘇里河上的划船者〉。賓漢可以說是美國第一位來自西部地區的傑出畫家，以彩繪西部的風景畫、當地人們的肖像畫與日常生活景象著稱。賓漢是當時密蘇里州藝術家的代表，他的繪畫具現著19世紀西部拓荒生活的風貌，備受推崇。這件作品背景上迷濛的河岸，似乎暗示著大自然有待探掘的世界，而前景的三個人物，則是樸質的升斗小民，安然地置身於那個有待探索的世界裡。費德瑞‧艾德溫‧秋屈（Frederic Edwin Church）則是出生於東岸的畫家，以精湛的風景畫聞名國際，作品〈熱帶地區的雨季〉，展現出了他描繪大自然奇景的超絕技巧。約翰‧辛格‧沙勤（John Singer Sargent）曾旅居許多國家鑽研肖像繪畫的技巧，也因精湛畫藝聞名國際，作品〈晚上的餐桌〉除了對都會人物疏離的神情描寫的入神外，其特色還有，畫面構圖模仿著攝影的現代性表現：右邊男士被刻意地裁切掉一半，如同照片在照相機瞬間按下時，對象

●日裔美籍藝術家露絲‧阿薩瓦（Ruth Asawa）的鐵絲雕塑作品（上圖）
●威恩‧希伯德 三具機器 1963 油彩畫布（下圖）

物不小心被裁切了；另外畫面上的玻璃器皿、銀器、花卉、珠寶等物像的筆觸，則充滿了印象派的意趣。

二樓有一半的展場，陳設著新幾內亞藝術、大洋洲藝術與非洲藝術。新幾內亞精采的傳統藝術品主要來自紐約的收藏家瑪莎與約翰・費瑞迪（Marcia and John Friede）的捐贈。這批龐大而且難得的文物乃世界上品質最佳的新幾內亞收藏之一，約有兩百件，令人感佩的巨幅木刻面具與人物雕像上，誇大而突出的表現力，流露出了樸質、純真、原始又神祕的力量，有的創作時間還可以追溯至13、14世紀。另外還有一些極具特色的平面作品，例如：〈成八字形的女性畫像〉，在棕櫚葉上彩繪出當地神話中的女性形象，兩側有著圖騰般的動物圖，這幅畫原來是放在從事儀式的屋宇內部的。〈野鳥繪畫〉則簡潔又充滿了動勢，頗具抽象畫的況味。

非洲藝術的收藏有一千四百餘件，代表性作品例如：〈莫三比克的盔甲面具〉。面具在非洲可以追溯到舊石器時代，在重要時日如：節慶、豐收、準備戰爭、和平或困境時，都會有戴面具的儀式性活動，至今仍然深具有其文化與傳統上的意義。面具通常代表著神靈、祖靈、神話中的靈魂，好的、壞的或死去的靈，動物的靈或著任何對人類具有影響力的靈，於是戴面具者便也擁有了相同的靈的力量。不僅是非洲，其他各地許多原住民族的多樣化雕飾的面具，都具有相似的意涵。製作於19世紀的〈有指甲與刀葉的宣誓人偶〉，是協助村落裡的巫師或占卜者治療、接受宣誓、確立協議、或合法解決事端的神靈。這個靈必須在指甲與刀葉插入其軀體時，才會活躍起來。因此每一片指甲或刀葉，就代表著一個誓言、協議或

● 喬治・蓋勒伯・賓漢 在密蘇里河上的划船者 1846 油彩畫布 63.8×76.8cm © Fine Arts Museums of San Francisco（上圖）

● 約翰・辛格・沙勤 晚上的餐桌 1884 油彩畫布 51.4×66.7cm © Fine Arts Museums of San Francisco（下圖）

● 費德瑞‧艾德溫‧秋屈 熱帶地區的雨季 1866 油彩畫布 142.9×214cm © Fine Arts Museums of San Francisco

事件。任何破壞誓言或協定者，必會遭受到靈的懲罰，如此可以確保他們社會體系的安定與合諧。大洋洲的藝術則是迪揚博物館的特別收藏，其核心藏品來自1894年創館之前的加州國際博覽會，一百餘年來藏品已經逐年地增加到九百餘件。重要收藏包括：屬於巴布亞新幾內亞的亞慕爾（Iatmul）文化的10英尺高屋宇支柱、紐西蘭毛利人的一系列精彩木刻等。

迪揚還有一個龐大的織品收藏，共有一萬一千餘件來自各個國家與文化的傳統與現代織物，包括從18世紀至今的流行服飾、歐洲織錦畫、土耳其境外最重要的安那托力亞（Anatolia）的地毯（kilim）、烏茲別克精美的刺繡品、西非約魯巴人的儀式用服飾（Egungun），以及著名的波蘭纖維藝術家瑪格達蓮娜‧阿巴卡諾維奇（Magdalena Abakanowicz）的當代織物雕塑等等。最近該館獲得了舊金山收藏家喬治‧與瑪莉‧赫克修（George and Marie Hecksher）捐贈的一批藏品，包括早期北印度與中亞地區的絲織品，以及早期圖克曼（Turkmen）與土耳其的地毯編織的樣本、印度的染織與彩繪的貿易織品等等。

近期舉辦過的現代藝術特展有「聖羅蘭服飾回顧展」，展出了聖羅蘭創作的一百三十件各時期的服飾與草圖等，是了解這位大師如何吸取藝術、劇場、歷史、文學與自然的元素，創作出理念獨具的服裝，解放女性的思維，並且重新擬塑女性形象的

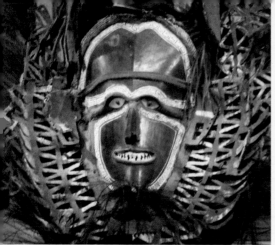

●非洲面具（左上圖）　●新幾內亞展區（左下圖）　●成八字形的女性畫像　19-20世紀早期　蘇鐵葉柄、顏料、束帶
104.1×76.2×12.7cm ⓒ Fine Arts Museums of San Francisco（右圖）

最佳展覽。還有戴爾‧屈胡利（Dale Chihuly）在舊金山的首次大型玻璃裝置藝術展，
佔據了舊金山美術館十一間展覽室，璀璨的色彩、大膽而且充滿戲劇性的有機造型，
呈現出了夢奇地般的自然物象、海洋世界、抽象雕塑等等，讓工作室玻璃藝術（Studio
Glass）的境界擴展到建築般的龐大格局。另外，以華府越戰軍人紀念碑而名揚天下的林
櫻（Maya Lin）的裝置展「有系統的風景」（Systemic Landscape），在博物館大廳裡，
運用了六萬五千個紙板建構出了一個巨大的小山丘，如同波浪起伏的海面，也形同疊置
出的山巒，或某種海洋與陸地之間的造型。這個造型看起來簡單卻蘊含複雜而詩意的理
念，在今日地球生態環境充滿危機之際，它喻示著人類與環境之間的脆弱關係，啟發著
人們觀看與思考的新層面。（圖片由舊金山美術館提供 Photo courtesy Fine Arts Museums of San Francisco）

地址 / Golden Gate Park, 50 Hagiwara Tea Garden Drive, San Francisco, CA 94118
電話 / 415-750-3600
網址 / http://www.famsf.org/deyoung/index.asp
開放時間 / 週二至週日9:30－17:15，週五9:30－20:45，元旦、感恩節與聖誕節休館。
門票 / 全票$10.00，65歲以上$7.00，13至17歲學生$6.00，12歲以下免費，每月第一個週二免
　　　費。（迪揚的門票可以通行榮軍館；舊金山美術館會員免費）

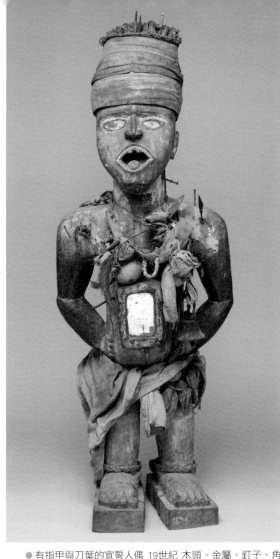
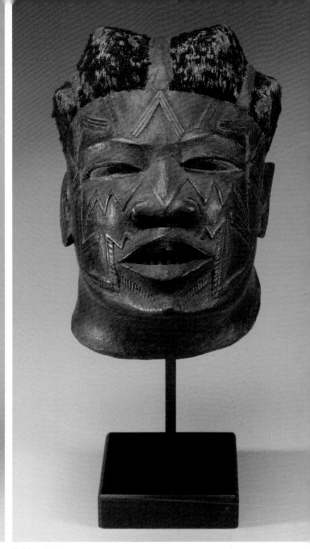

● 有指甲與刀葉的宣誓人偶 19世紀 木頭、金屬、釘子、角、樹枝、玻璃 82.6×30.5 cm ©Fine Arts Museums of San Francisco（左圖）
● 莫三比克的鋼盔面具 20世紀早期 木頭、蜂蠟、毛髮 24.9×23×33cm ©Fine Arts Museums of San Francisco（右圖）

● 現代展覽室景（左圖）　● 林瓔〈有系統的風景〉於博物館大廳展示現場（右圖）

舊金山美術館──加州榮軍館皇宮

California Palace of Legion of Honor

　　舊金山美術館的「加州榮軍館皇宮」，位於金門公園北邊的林肯公園裡，面對太平洋，可以眺望著名的地標金門大橋，以及舊金山熱鬧的市區，周圍還有大片高爾夫球場的綠地。這個新古典建築風格的博物館，被認為是設立在遙遠大地的盡頭，即舊金山灣的北邊頂端，然而如此的地理位置卻賦予了它遠離都市塵囂的清幽環境，讓民眾得以在遊覽博物館之餘，也觀賞到舊金山秀麗景致的另一面。

●加州榮軍館皇宮鳥瞰景（左頁上圖）　●加州榮軍館皇宮外庭拱門（左頁下圖）　●加州榮軍館皇宮外觀（右跨頁圖）

　　在20世紀初，美國糖業大亨阿朵夫‧史布雷克爾斯（Adolph B. Spreckels）的夫人
愛爾瑪（Alma de Bretteville Spreckels），說服丈夫興建這個博物館，獻給第一次世界
大戰期間，在法國戰場上犧牲生命的三千六百位加州軍人，並且將這個博物館捐贈給
舊金山市。史布雷克爾斯夫人鍾愛興建於18世紀的法國巴黎「榮軍館皇宮」的建築，
於是取得了法國政府的同意，以四分之三比例的規模，在舊金山複製興建這棟優雅的
古典建築，在公園綠地中展現出它龐然的器度。這棟由建築師喬治‧艾柏嘉斯（George
Applegarth）所設計的博物館，除了重現巴黎榮軍館的風貌外，還運用了當時最先進的
博物館建築的理念，提供恆溫、恆溼等空調系統。該館完成於1924年，在同年的休戰
紀念日對外開放。史布雷克爾斯夫人視博物館為她一生的職志，在三十五年的時間

裡，購藏了一批法國境外最重要的羅丹雕塑之一，以及法國家具、銀器、陶器、古董文物等，都捐贈給博物館。她也鼓勵著她的收藏家朋友們捐贈藏品給博物館，奠立了「加州榮軍館皇宮」早期的收藏。1972年，「加州榮軍館皇宮」與「迪揚博物館」合併為舊金山美術館，「迪揚博物館」原有的一部分古代收藏轉移到「加州榮軍館皇宮」，讓這間博物館以古代藝術文物、歐洲裝飾藝術與繪畫，以及阿欽巴平面藝術基金會（Achenbach Foundation for Graphic Arts）的紙上藝術為專精。

走入博物館的中庭，便會看見羅丹（August Rodin）的〈沈思者〉（The Thinker, c.1880）雕像豎立著，似乎是對在沙場上為國捐軀的年輕軍人們的思懷。博物館裡的豐富收藏，主要陳列在一樓冂字型排列的十九間展覽室，第1號展覽室是作特別規畫的展覽用。第2-5號展覽室：展出著中世紀、文藝復興與矯飾主義藝術，包括繪畫、雕塑、織錦畫、文物與家具。第3號展覽室還展現著精雕的西班牙式屋頂。繪畫作品有「翡冷翠畫派」羅倫佐·迪·比希（Lorenzo di Bicci）繪於15世紀初的〈聖母、聖嬰與天使〉，如果比較於拉法里諾·代爾·嘉博（Raffaellino del Garbo）

● 加州榮軍館皇宮展覽室景（左上圖） ● 展覽室內的西班牙式屋頂（左下圖） ● 羅丹 沈思者 約1880 青銅 182.9×96.5×
137.2cm © Fine Arts Museum of San Francisco（右圖） ● 加州榮軍館皇宮內庭（左頁上圖） ● 加州榮軍皇宮館外景（左頁下圖）

繪於16世紀初的〈聖母加冕與聖人和天使〉，可以看出文藝復興時期宗教繪畫形貌的解
放與轉變，後者畫面上的人物更具有人性的表現與立體感，整體構圖呈現出了遠近的透
視法，乃近代繪畫形式的初始。第5號展覽室的艾爾・葛利哥（El Greco）作品〈受洗者
約翰〉，是這位出生於希臘的著名西班牙矯飾主義畫家的代表作之一。葛利哥的繪畫融
合了熱情與約制、宗教性與新柏拉圖主義，也受到了對立於改革派的神祕主義之影響。
畫中人物被拉長的造型，背景上似乎瞬息萬變的白雲，激切而不尋常的色彩鋪陳，洋溢
著畫家的感性與能量，畫面人物流露出內在精神的莊重與嚴肅，賦予了作品神聖的特
質。

　　第6與7號兩間較大型展覽室，展出著法國與義大利巴洛克與洛可可藝術，包括有17
與18世紀的繪畫、法國家具與雕塑。「洛可可」字面上的意思是指貝殼上的螺旋式堆
砌，由於當時人們對路易十四時期的嚴肅風格不再感興趣，改而追求實際而親切的畫面
空間，因此許多洛可可的繪畫是以風俗畫為主，用色甜美，充滿了優雅華麗的感覺，展

● 羅蘭佐・迪・比希 聖母、聖嬰與天使 1405-1410 81.3×54.3cm
© Fine Arts Museum of San Francisco（上圖）
● 拉法里諾・代爾・嘉博 聖母加冕與聖人和天使 1502 © Fine Arts
Museum of San Francisco（下圖）
● 艾爾・葛利哥 受洗者約翰 約1600 油彩畫布 111.1×66cm © Fine
Arts Museum of San Francisco（右頁圖）

現出精緻柔軟的氣氛並且大量使用著光線，強調著藍與綠色調，以減輕畫面上銀灰色的冷漠，並且表現出舞台般效果以及裝飾性的風格。作品如：尚-安東尼・華鐸（Jean-Antoine Watteau）的繪畫〈四人〉。華鐸被認為是18世紀初法國洛可可風格最重要的畫家，這件作品是人們在夜晚歡聚一處，優雅地享受閒暇時光的逸樂風情。另外一位18世紀義大利最偉大的畫家吉奧瓦尼・巴提斯塔・迪波洛（Giovanni Battista Tiepolo）的作品〈花之帝國〉，則運用神話與寓言故事，頌揚著威尼斯輝煌的過去，於是畫面上漂浮著的神祇，沐浴在亮麗陽光的金色調裡，讓對璀璨歷史的夢迴，延展至當下。第9與11號展覽室，展覽著17至18世紀的裝飾藝術品，包括精美的法國巴洛克時期鑲嵌家具，一間用當時橡木板構築裝飾的法國廳，以及歐洲的玻璃器皿。

第8、10與12號展覽室陳列著八十餘件，涵蓋了各個時期的羅丹雕塑作品，包括屬於〈地獄之門〉的〈三個幽靈〉、〈接吻〉、〈夏娃〉，以及〈加萊市民〉、〈維多・雨果〉等等。羅丹被視為現代雕塑之父，因為他的作品突破了十九世紀學院派的傳統，開創了嶄新的自由構圖模式，在人體雕塑上融入了表現性與深厚的心理層面，為20世紀雕塑打開了寬闊的路徑。第13號展覽室，展覽著18與19

●尚‧安東尼‧華鐸 四人 約1713 油彩畫布 49.5×62.9cm © Fine Arts Museum of San Francisco（上圖）
● 奧瓦尼‧巴提斯塔‧迪波洛 花之帝國 約1743 油彩畫布 71.8×88.9cm © Fine Arts Museum of San Francisco（右頁上圖）
● 彼得‧保羅‧魯本斯 獻金 約1612 油彩木板 144.1×189.9 cm © Fine Arts Museum of San Francisco（右頁下圖）

世紀的英國藝術，著名繪畫如亨利‧羅本爵士（Sir Henry Raeburn）的傳統肖像畫，湯瑪斯‧甘斯柏羅夫（Thomas Gainsborough）的肖像畫與風景畫，例如〈風景與推車〉，是甘斯柏羅夫的浪漫風景畫晚期中的頂尖之作，雖然流露出他深受17世紀荷蘭風景畫家比特‧慕利金（Pieter Mulijn）的影響，但是畫面中間隆起的地面與從兩旁向內包圍的樹，讓構圖形成垂直向上的動勢，震顫的枝葉、天上渦動的白雲以及行進中的推車，讓抒情的畫面充滿作者獨創的視覺張力。

　　第14與15號展覽室，展覽著17世紀歐洲最具有影響力的荷蘭與佛蘭德繪畫。彼得‧保羅‧魯本斯（Peter Paul Rubens）是當時歐洲巴洛克藝術著名的大師，在西方藝術史的發展上，佔有著關鍵性的地位。他精研義大利矯飾主義的作品，畫風融合了法蘭德斯繪畫的細緻寫實，與文藝復興的自由奔放。畫面上戲劇性的光線與糾結的構圖、氛圍，展現出強烈的感官性格和豐富的想像力，作品〈獻金〉即可看出其作品的特色。另外，林布蘭特（Rembrandt Harmensz van Rijn）則是17世紀荷蘭巴洛克寫實繪畫大師，他對光與影的極至表現，一百多年來一直是寫實主義傳統裡最崇高的標準。林布蘭特喜愛以

●林布蘭特 狄‧寇烈理肖像 1632 油彩畫布，貼於木板 102.9×84.3cm 框139.1×120×12.7cm © Fine Arts Museum of San Francisco（左圖） ●第14展覽室景（右圖） ●法國廳（右頁圖）

濃黑的暗影來表現明亮部分，陰影是他所愛的詩意手法，深暗色調是他抒發內心情感，追求強烈效果的獨特表現形式。作品一位荷蘭船長的肖像〈狄‧寇烈理肖像〉，精確的細節描繪與表面肌理，微妙的心理寫實手法，豐富的明暗與光影效果，乃林布蘭特早期肖像畫的傑作。

第16至19號展覽室，展出18世紀新古典藝術至20世紀後印象派繪畫的精采作品。第19號展覽室的維廉‧阿朵爾夫‧布格羅（William-Adolphe Bouguereau）是保守的法國學院派的擁護者，他的作品呈現出官方沙龍典型的理想主義與裝飾性，精細而平順的畫面質感，與同時代屬於自然主義的巴比松畫派和印象派截然不同。作品〈破水罐〉，描繪著一位鄉村女孩哀淒的神情，破水罐具有性的象徵，布格羅感性的筆觸在此軟化了鄉村生活嚴苛的真實面。另外還有哥雅（Goya）、柯洛（Corot）、馬奈（Manet）、秀拉（Seurat）、塞尚、雷諾瓦、狄加、莫內、畢卡索等人的作品。莫內是印象派的創始者也是倡導者，印象派在創作技法上反對因循守舊，以科學的眼光來探究光與色彩的微妙關係，追求著光的描寫以及捕捉自然的瞬間景象，以戶外作畫為主，因此又稱為外光派。它完全脫離了過去對宗教與歷史的依賴，關注的是純粹視覺的感受形式，作品〈大運河〉，畫面上沒有任何線條的描繪，完全用色點來表現物象的形與貌在陽光下的迷彩。印象派對爾後的現代繪畫的發展產生了很大的影響。

地下一樓最大的第20號特展室，定期舉辦著特別策劃的展覽。迴廊的第21號展覽區，陳列著的展品包括古代地中海、希臘、羅馬、埃及、敘利亞、美索不達米亞、古代希臘、羅馬的文物、陶器、雕塑、金屬工藝等，數量不算多但是仍然可以一窺其端倪。第22號展覽室是做為版畫研究室用，博物館歡迎民眾申請來探究阿欽巴平面藝

●亞述有翅膀的神 885‑856 BC 瀝青石灰石 76.2×104.5 cm © Fine Arts Museum of San Francisco（左上圖）
●莫內 大運河 1908 油彩畫布 73.2×89.7cm © Fine Arts Museum of San Francisco（左下圖）
●維廉‑阿朵爾夫‧布格羅 破水罐 1891 油彩畫布 134.6×83.8cm © Fine Arts Museum of San Francisco（右圖）

術基金會將近十萬件的龐大版畫收藏。第23號展覽室展示著兩百餘件18世紀英國與法國精美的瓷器，這批難得的藏品來自收藏家康絲坦斯與亨利‧包爾斯（Constance and Henry Bowles）的捐贈。第25號展覽室定時更換展出著芝加哥收藏家瑞娃與大衛‧羅肯（Reva and David Logan）所捐贈的藝術家的手稿圖畫書，涵括了過去一百年來精采的版畫與插畫。觀賞一遍全部的畫廊，就如同閱讀一遍藝術史，讓人深深感佩著歷代無數的人才與無盡的創造力，為人類在時間的流逝中，在空間的不斷更迭中，保留下如此美好的記錄。（圖片由舊金山美術館提供 Photo courtesy Fine Arts Museum of San Francisco）

地址 / Lincoln Park, 34th Avenue & Clement Street, San Francisco, CA 94121
電話 / 415-750-3600
網址 / http://www.famsf.org/legion/index.asp
開放時間 / 週二至週日9：30－17：15，元旦、感恩節與聖誕節休館。
門票 / 全票$10.00，65歲以上$7.00，13至17歲學生$6.00，12歲以下免費；每月第一個週二免費。（榮軍館的門票可通行迪揚博物館；舊金山美術館會員免費。）

● 梅森堡外觀

義大利裔美國人博物館
Museo ItaloAmericano

　　義裔美國人博物館，位於普瑞斯迪奧國家公園的歷史區，以及觀光勝地漁人碼頭之間的海灣區內梅森堡的C棟大樓內，是美國境內唯一以義大利與義裔美國的藝術和文化為主題的博物館。舊金山的梅森堡在過去兩百年間是一個軍事要塞與二次世界大戰時的海軍基地，直到1962年後被棄置，1977年轉變為多元化藝文中心對外開放。它的範圍有13英畝大，共有九棟歷史建築物，目前有二十五個非營利單位進駐，涵蓋博物館、劇場、音樂學校、書店、餐廳、收音機電台、環保單位等等，一年約舉辦著一萬五千場活動，包括：展覽、表演、演講、工作營、各種博覽會、募款活動、飲食與美酒推廣等，類似台北的華山藝文中心，但是有數倍之大。還有兩個碼頭建築是主要大型活動的場所，各可容納三至五千人。

● 梅森堡展區標示（上圖）
● 義大利裔美國人博物館（下圖）

地址 / Fort Mason Center, Building C, San
　　　Francisco, CA 94123
電話 / 415-673-2200
網址 / http://www.museoitaloamericano.
　　　org/index.html
時間 / 週二至週日12:00－16:00，週一
　　　預約。
門票 / 免費

　　義大利裔美國人博物館不大，由吉爾里安・納德利・海特（Giulian Nardelli Haight）在1978年所創立，宗旨在研究、收藏與展陳義大利與義裔美國藝術家的作品，以保存與推廣義大利的藝術與文化，並提升大眾對義裔美國藝術家的認知。博物館規模不大卻擁有一批精緻的藝術收藏，包括繪畫、雕塑、攝影與紙上作品。著名藝術家如：作品充滿超現實與表現主義意涵的畫家法蘭西斯科・克雷蒙特（Francesco Clemente）、雕塑家與觀念藝術家湯姆・馬瑞歐尼（Tom Marioni）、超前衛畫家與雕塑家米莫・帕拉迪諾（Mimmo Paladino），以及大衛・柏提尼（David Bottini）、阿納爾多・波莫都若（Arnaldo Pomodoro）、班尼阿米諾・布法諾（Beniamino Bufano），20世紀初重要藝術家如：瑞納多・庫尼歐（Rinaldo Cuneo）、路易吉・路西歐尼（Luigi Lucioni），以及18世紀銅版畫家安東尼歐・維森提尼（Antonio Visentini）與皮耶托・特斯塔（Pietro Testa）等，這些藝術家的作品在常設展覽中輪流展出。變動性展覽則呈現多元的主題，如「動態的抽象：彼得・艾爾伯特・史卡圖若（Peter Albert Scaturro）繪畫與雕塑展」、「舊金山：夢與幻境攝影展」等。除了展覽外，博物館還提供義大利藝術、語言、歷史、文化、音樂與生活等方面的課程、影片與音樂欣賞。

　　梅森堡這個幅員廣大的歷史水岸區，可以遠眺金門大橋，波光粼粼的海面上總有點點的帆船，以及翱翔的海鷗。在此歷史與當代時空交會，自然與文化交織出了豐富的神采，是遊覽舊金山灣區海邊美景之際，可以添增文化氣息的藝術散步。

哈斯-莉莉恩索爾宅邸

Haas-Lilienthal House

哈斯-莉莉恩索爾宅邸，位於舊金山市區的太平洋高地（Pacific Heights），是雜貨大盤商威廉‧哈斯（Willian Haas），在1886年委託巴伐利亞建築師彼得‧史密德（Peter R. Schmidt）所興建的私人住宅，共有二十四個房間，1萬2000平方英尺大，是當時中產階級精英人士宅邸的一般住宅。這棟維多利亞時代建築物，是舊金山市內現存屬於19世紀末住宅的最佳完整範例。這棟宅第在1906年舊金山大地震時，僅遭受輕微的損害，因為它完全使用加州著名的紅木所建造，紅木材質柔軟有彈性，因此逃過了大地震的災難。哈斯-莉莉恩索爾家族在此居住到1972年，然後將這棟宅邸捐贈給了舊金山建築遺產基金會（The Foundation for San Francisco Architecture Heritage），1975年對外開放參觀。

這棟用紅木所建構的安皇后風格（Queen Anne style）建築物的特色在於，它具有著優雅、壯麗而繁複的裝飾性特色與不對稱的樓板格局，尤其顯著的是皺褶般的牆面組構、建築邊緣上的花卉、圓圈等裝飾、飛揚的圓頂塔、屋頂窗與塔頂「巫婆的帽子」造型等等。室內的規劃與裝潢仍然保留著英國維多利亞時期的形式，許多的家具也是哈斯-莉莉恩索爾家族在此生活時的原有物件。目前只有一、二樓開放參觀，一樓的餐廳裡陳列著有關這棟宅邸與這個家族的歷史照片提供觀者參照。在開放參觀的時間裡，會有義工導覽解說這棟建築物的特色與室內的裝潢等。這棟華麗的宅邸與位於四條街外的樸素八角型屋，是了解19世紀末舊金山市的民間建築特色必要參訪之地。

● 哈斯-莉莉恩索爾宅邸外觀（上圖）
● 哈斯-莉莉恩索爾宅邸（下圖）

地址／2007 Franklin St. San Francisco, CA 94109
電話／415-441-3004
網址／http://www.sfheritage.org/house.html
時間／週三&週六12:00－15:00，週日11:00－16:00。
門票／全票$8.00，65歲以上與12歲以下$5.00。

八角型屋
Octagon House

　　興建於1861年的八角型屋，是舊金山市魅力與歷史的精巧代表，由威廉‧麥克艾爾羅伊（William McElroy）所設計的這棟特殊的八角型屋，乃舊金山市僅存的兩棟這類型宅邸之一。麥克艾爾羅伊認為八角型的建築物，能夠提供每個房間充足的陽光與空氣，有益健康與長壽，這是19世紀時的風水觀念。因此一樓的六面牆上都各有兩扇窗，另外兩面牆則有兩扇門，二樓的八面牆上各有兩扇窗。屋頂中間還有一個圓頂塔，同樣地有八扇窗，從這個圓頂塔可以看到進出金門大橋的船隻。

麥克艾爾羅伊在此居住了四十年，這棟宅邸至1924年被太平洋瓦斯與電力公司購買前，都是私人住宅。1952年以美金1元轉賣給了加州的美國殖民地婦女歷史協會，而後被遷移至對街的現址並且整修。1968年，這棟宅邸被指定為歷史地標，1972年登錄為國家歷史地點。今日室內陳設著殖民時代與聯邦時期的家具與裝飾藝術品。最古老的家具是1700年的胡桃木化妝台、1790年的櫻桃木鐘台，另外例如：一個櫥櫃裝滿了1812年從英國護航艦上取得的中國出口瓷器精品、巴爾提摩的食具櫃、塞倫的書桌、肖像、銀器、錫鑞製器皿與陶器等。在二樓有一間「簽名

●八角型屋（左右頁圖）

者室」（Signers Room），展示著所收藏的獨立宣言上五十六位簽名者的五十四個簽名文件，極具有時代意義。這棟古宅鄰近著名的九曲花街，遊覽這條陡峭的美麗街道時，正好可以拜訪這棟高齡一百五十歲的宅邸。

地址 / 2645 Gough Street, San Francisco, CA 94123
電話 / 415-441-7512
網址 / http://www.nscda.org/museums/california.htm
開放時間 / 12:00－15:00，每月的第二個週日與第二、四個週四，1月與假日休館。
門票 / 自由捐贈

南灣地區博物館

Art Museums in San Francisco

史丹佛大學坎特藝術中心

Cantor Arts Center at Stanford University

在19世紀的美國，最顯著而且引人遐想的家族就是史丹佛家族。勒蘭‧史丹佛
（Leland Stanford）是鐵路大亨、內戰期間的州長，而後成為美國參議員。他與夫人
珍‧菈索普‧史丹佛（Jane Lathrop Stanford）乃當時加州地區最具影響力的公民之一。
為了紀念早逝的獨子，他們設立了許多教育機構，最著名的就是1891年創校的史丹佛
大學。也受到獨子愛好並且收藏古董文物的影響，史丹佛夫婦在旅遊各地時，不斷擴
大他們對亞洲、美洲與歐洲藝術的收藏，在1894年成立了勒蘭‧史丹佛博物館（Leland
Stanford Jr. Museum）。該館在20世紀初是全世界最大的私人博物館，其考古與人類學
文物的藏品乃太平洋沿岸極為少見的；史丹佛家族的收藏品共約五千件。

1906年舊金山地區發生歷史上少見的大地震，摧毀了勒蘭‧史丹佛博物館三分之
二的建築與收藏。博物館因此被荒廢了近半個世紀，直到1953年由於社區民眾們的興
趣，促使了學校招募義工、募款、整建，重新開放博物館，在往後二十五年間，空間、

● 史丹佛大學坎特藝術中心外觀（上圖）　● 史丹佛大學室內景（左頁圖）

展覽、收藏、教育活動與出版都步入了軌道。1985年，收藏家裴拉德·坎特（B. Gerald Cantor）與其他收藏家們慷慨捐贈了一批羅丹雕塑，博物館也因而特別成立了裴拉德·坎特羅丹雕塑公園（B. Gerald Cantor Rodin Sculpture Garden）。

　　1989年，舊金山地區的另一個大地震，又嚴重破壞了博物館。1991年，學校開始著手重建博物館，也積極地募款。至1998年8月募得4千200萬美元，除了重建經費約3千680萬，其餘款項則投入博物館的經營。這項重建與擴大工程，由紐約的建築師波爾聖克建築事務所（Polshek & Partners）設計，嶄新宏偉的美術館在1999年底開放，更名為「艾瑞絲與裴拉德·坎特視覺藝術中心」（Iris & B. Gerald Cantor Center for Visual Arts）。至2005年7月，該藝術中心已有一百萬參觀人次。

　　「艾瑞絲與裴拉德·坎特視覺藝術中心」以其最大贊助者命名。艾瑞斯與裴拉德·坎特是此地顯著的慈善家，也是該美術館長久的支持者，除了捐贈超過1千萬美元的重建經費，還捐贈了超過一百八十件的羅丹雕塑品，使得史丹佛大學成為巴黎羅丹美術館之外，收藏羅丹作品的最大機構。當然也是來自各地民眾參觀這所名校時，不可錯過的藝術珍藏。

　　坎特藝術中心有兩層樓二十七間展覽室，十九間展示著其龐大、豐富的亞洲、非洲、歐洲與美洲收藏，其中三間專門展覽該中心收藏的亞洲藝術品。另外還有近期收藏和現代與當代特展室。藝術中心每年會規劃四項主要的大展與數個中小型的展覽和巡迴展。一樓的展覽室包括：古地中海藝術、非洲藝術，大洋洲藝術、亞洲藝術、羅丹展覽室、史丹佛家族展覽室與一間特展室。二樓包括古美洲藝術、美洲原住民藝術、歐洲

●非洲雕像（左圖與上圖）　●寇托伊斯（Gustave-Claude Etienne Courtois）
小勒蘭·史丹佛畫像（Portrait of Leland Stanford, Jr.）　1884 油彩畫布 118.7
×98.7cm（左頁左圖）　●大洋洲藝術展覽室（左頁右圖）

1500-1800、19世紀歐洲與美國藝術、20世紀歐洲與美國藝術，以及當代藝術和特展室。

　　古地中海藝術是此藝術中心最早的收藏之一，包括製作於羅馬時期前一百萬年的塞普勒斯（Cyprus）陶器、古埃及與古希臘雕像、陶瓶、西元前200萬年的美索不達米亞的楔形文字、印章、人像牌匾等，顯著的藏品包括製作於西元前700年的埃及石版雕刻與希臘陶甕等。

　　非洲藝術收藏共約五百件，收藏的指標著重於其美學與文化的意涵，目前有七十件在畫廊展出。藏品包括樸質又充滿原始力能的馬利（Mali）人像與面具，北非地區早期的鐵器、皮革與籃簍製品，南非地區的精美的珠飾與木工器物，那米比亞（Namibia）與波紮那（Botswana）的人體裝飾物品等。

　　大洋洲藝術區域涵蓋東南亞與南太平洋之間的兩萬五千個島嶼，該中心收藏約有三百件這個區域多元文化的藝術品，以及一百五十件印尼的織品。顯著的藏品如：印尼巴塔克地區（Batak）的一對帶狀雕刻，以及印尼佛洛瑞斯（Flores）的一件具紀念性質的馬與騎士雕像等。

　　亞洲藝術收藏肇始於勒蘭·史丹佛的兒子對中國與日本藝術收藏的遺願，1884年他十五歲時因傷寒病逝。從那時起，博物館的亞洲藝術收藏便不斷增加，藏品涵蓋中、日、韓、印度與東南亞等地，從新石器時代至今共約四千件，有佛像、瓷器、玉器、繪畫、西周的青銅器、日本的香爐等，涵蓋了三間展覽室。豐富的展品包括日本別具風貌的繪畫形式「浮世繪」。

　　起源於17世紀的浮世繪，主要描繪的題材是塵世間的風情，即人們的日常生活、

風景與戲劇等。江戶時代浮世繪界中最大且影響深遠的派系是歌川派，歌川國貞師承歌川豐國，以畫色情畫聞名，畫中的女人大多是頹廢好色、憂鬱疲憊。一般而言，浮世繪是彩色印刷的木板畫，通常要五個步驟才會完成，但是也有手繪製作的。19世紀中期流傳到歐洲後，影響了當時印象派的藝術家如：梵谷、馬內等人，還有爾後的許多現代藝術家們。

中國的繪畫有陸儼少（1909-93）早期的水墨畫，陸儼少與李可染並稱為「北李南陸」，是當代中國山水畫家的代表人物之一。陸儼少深入傳統筆墨的精華卻又不斷地求新求變，畫面上的景物古拙奇峭，在鬱勃中洋溢著行雲流水般的意韻，展現出畫家博大高遠的胸懷。另外博物館的最重要玉藏品則是來自1968年艾莉絲‧梅耶‧巴克（Alice Meyer

●西周青銅器 約西元前1045-771（上圖）　●Narihisa Hirata 香爐 約1650 景泰藍、鐵器 日本江戶時期（1615-1868）（下圖）

Buck）捐贈她過世丈夫法蘭克‧巴克（Frank E. Buck）的精采收藏。

坎特藝術中心的羅丹展覽室與雕塑公園，是除了巴黎羅丹美術館之外，世界上收藏羅丹作品最多的單位。展覽室內陳列著超過五十件的銅雕、蠟雕、石膏模型、陶塑等作品。另外有二十件銅雕放置在雕塑公園，作品包括：羅丹花了二十年才完成的著名的〈地獄之門〉，以及〈加萊市民〉等。羅丹被認為是雕刻史上繼米開朗基羅以來最偉大的雕塑家。他的作品注重小雕刻面的處理，讓光線在不同的角度會有不同的反射，呈現出光與顫動的特質，如同印象派的繪畫。羅丹對人類的深刻探索與理解，讓他神妙地塑造出了人類的精神與心靈世界；將愛、美、情欲、恐懼、痛苦、理想等，在人體形象上

● 陸儼少 風景 1911-1949 水墨紙本（左圖）
● 歌川國貞 浮世繪 彩墨紙本 日本江戶時期（1615-1868）（右圖）

細緻而極盡地展現出來。羅丹的〈地獄之門〉是一件規模浩繁的委託之作，雖然沒有完成交件，卻可以說是他一生創作的概要與總結。這件群雕門飾呈現出羅丹對歌德、義大利文藝復興藝術、但丁及波特萊爾的感佩。他的創作靈感，來自但丁的作品《神曲》中的〈地獄篇〉。這件紀念碑式的創作，包含了一百八十六個痛苦群像，其中有幾尊雕像後來發展成為獨立的作品，例如〈沉思者〉、〈三個幽靈〉、〈接吻〉等。羅丹將近代文明的罪惡都表現在這幅門雕上面，刻畫著被困惱與折磨的形象，表現出希望、幻滅、死亡和痛苦等種種感情。綜而觀之，這件偉大的作品象徵著永恆流轉的現代地獄圖象。

　　古美洲藝術包括精彩的西墨西哥區的陶俑與器皿，早期馬雅與薩巴特克等區的

文物，哥斯大黎加、宏都拉斯與尼加拉瓜等地的藝術，以及古祕魯與其他南美洲古文明的陶器與鐵器。美國西南部與北墨西哥區的精美古代陶器也在此畫廊展出。

美洲原住民藝術的收藏著重於北美洲，尤其是加州、西南與西北沿岸的原住民藝術，包括各種雕飾獨具意義的面具與圖騰柱等。如：亞特·湯伯森（Art Thompson, 1948-2003）〈象徵巨鳥的面具〉、史坦·杭特（Stan Hunt）〈有翠鳥造型的面具〉等。約翰·戴格特（John Daggett）在舊金山淘金熱後，收集的北加州尤魯克（Yurok）、卡魯克（Karuk）與乎帕（Hupa）等原住民部落的精美的編籃器物與日常生活用品，則是博物館的原始收藏，至今仍然在不斷擴增中。此外這個展覽室還有許多布伯羅（Pueblo）族的陶器品和納瓦荷（Navajo）族的精采織品。

歐洲1500-1800年的顯著展品有：義大利文藝復興時期畫家柏尼法西歐·班伯（Bonifacio Bembo, 1447-1477）的三連幅作〈聖嬰的禮讚〉、荷蘭藝術家康內利·凡·達蘭（Cornelis van Dalem, 1602-1665）的〈亞當與夏娃的風景〉、荷蘭畫家亞伯拉罕·凡·貝耶倫（Abraham van Beyeren, 1620-90）的〈靜物與螃蟹〉等。貝耶倫原先專長於繪畫魚的題材，到了17世紀中期轉而描繪奢

● 羅丹 加萊市民（上圖）　　● 史坦・杭特 有翠鳥造型的面具 約1980 香柏木、顏料（下圖）
● 羅丹 地獄之門 約1880-1900，鑄於1981 青銅 1625.1×1019.3×215.4cm（左頁上圖）　　● 美洲藝術展覽室景（左頁中圖）
● 亞特・湯伯森 象徵巨鳥的面具 香柏木、香柏木樹皮、顏料、毛髮（左頁下圖）

華的宴會桌，以及上面的金銀器和玻璃器皿、水果、食物等。貝耶倫的靜物畫絕妙的展
現出各種物象表面上的光影，以及他組構造形與色彩成為一幅幅豐富多彩畫面構圖的能
力。他在世時並未受到廣泛矚目，但是今日已經被公認為最偉大的靜物畫家之一。

　　在19世紀的歐洲展覽室，有法國雕塑家
尤金・艾密爾・賀伯特（Eugène Emile
Hébert, 1829-1893）的惡魔雕像
〈靡菲斯特〉（Mephistopheles），
此作品似乎在精神上與博物館的羅丹
雕塑收藏相互輝映。還有史丹佛家族收藏的著名蘇格
蘭裔美國畫家威廉・奇斯（William Keith, 1838-1911）
的多幅繪畫，〈迪亞伯羅山日落〉、〈肯恩河上游〉
等。奇斯是加州著名的風景畫家，他熱愛大自然尤其是
宏偉壯麗的美國西部景觀，他的繪畫總是主觀地舖陳細

●柏尼法西歐‧班伯 聖嬰的禮讚 1470

節，精神性地表述出他捕捉的自然視象，因此能夠深深引發著觀者的情感互動。那一幅幅莊嚴、神祕、超卓的風景畫，讓人留下難忘的印象。

　　20世紀歐洲與美國藝術及當代藝術展覽室，涵蓋數個展覽室與戶外空間，包括20世紀初的雕塑家作品，如芭芭拉‧黑普沃斯（Barbara Hepworth）、亨利‧摩爾（Henry Moore）、艾利‧那德爾曼（Elie Nadelman）、西奧多‧羅斯札科（Theodore Roszak）等人。當代藝術收藏則著重於美國藝術，尤其是舊金山灣區藝術家的作品，例如羅伯特‧安納森（Robert Arneson）、布魯斯‧康納（Bruce Conner）、理查‧迪本孔（Richard Diebenkorn）、喬志‧賀爾姆斯（George Herms）、法蘭克‧羅伯戴爾（Frank Lobdell）

● 威廉・奇斯 肯恩河上游 1876 油彩畫布（上圖）
● 亞伯拉罕・凡・貝耶倫 靜物與螃蟹 1650（左下圖）　　● 歐洲展覽室（右下圖）

等。尤其理查・迪本孔早年就讀於史丹佛大學，也長期住在加州，因此與該校建立了深厚淵源。迪本孔是舊金山灣區具象風格繪畫的代表人物之一，而後他轉而探索抽象表現主義與色域繪畫，創作了70、80年代一系列優游於具象與抽象之間的繪畫。他是美國藝術中現代主義表現形式之發展的極佳表徵。羅伊・李奇登斯坦（Roy Lichtenstein, 1923-1997）則是普普藝術的代表畫家之一，作品深受流行廣告與漫畫的影響，他的作品〈藍色地板〉典型地運用粗邊輪廓、大膽的色彩，以及如緞帶上的圓點造型來呈現某種色彩，題材取自日常生活、或挪用自漫畫和廣告的圖像，他擅長賦予陳腔俗調之事物以新的意趣，對傳統的視覺物像或風格加以調侃，因此他畫面上的圖像總讓人覺得既熟悉又虛假。

坎特藝術中心還有四個畫廊專門展出紙類作品：版畫、紙上繪畫與攝影作品。這類收藏涵蓋有四千件版畫、兩千件素描與三千五百件攝影作品。因為紙類作品的碎弱性，展場約有一百件作品展出，每數個月會有輪替。

版畫包括15世紀末德國阿爾布里希特・丟勒（Albrecht Dürer）的木刻畫，至當代安迪・沃荷的絹版印刷，收藏的重心尤其在18世紀末西班牙的法蘭西斯科・哥雅、義大利的吉奧瓦尼・巴提斯塔・比蘭尼西（Giovanni Battista Piranesi）與吉奧瓦尼・巴提斯塔・提波洛（Giovanni Battista Tiepolo），以及英國的湯瑪斯・羅蘭森（Thomas Rowlandson）。還有19世紀初法國的希爾朵爾・傑瑞科（Theodore Gericault）與英國的里查・帕克斯・伯寧頓（Richard Parkes Bonington）等人的石版畫。丟勒被認為是與林布蘭特和哥雅齊名的古典版畫大師，作品〈悲哀的人〉銅版畫，描繪著耶穌的受難圖，

畫面上耶穌抱著鞭打他的皮帶與樺木條，痛苦地站立在柱子旁，聖母與聖約翰在左下方哀泣的看著他。在此，杜勒精采的技巧將簡單的圖像與流行題材，提升至更高層次的絕妙地表現。

紙上繪畫涵蓋16世紀至今的作品，英國的作品包括有湯瑪斯・甘斯柏羅夫（Thomas Gainsborough）與約翰・康斯塔伯（John Constable）的作品，以及威廉・泰納（William Turner）的水彩畫。畢卡索的紙板油彩畫如〈戴帽的妓女〉，是他二十歲左右時的作品，以大膽而豐富的色彩、韻律般筆觸，如同新印象派與表現主義的手法，彩繪出夢幻的女性形象，畫中的人物與旁邊的花朵似乎融合為一體，展現出視覺上的愉悅與媚力。這件作品呼應著同時期畫家羅特列克（Toulouse-Lautrec）的繪畫，是畢卡索進入「藍色時期」之前在創作上的實驗階段，卻也是精采的小品。

攝影藏品涵蓋曾為勒蘭・史丹佛工作的艾德維爾得・慕布瑞吉（Eadweard Muybridge）的五百件作品，以及19世紀的亨利・法克斯・塔伯特（Henry Fox Talbot）、茱莉亞・瑪格莉特・卡瑪榮（Julia Margaret Cameron）極為少有的作品，與20世紀安塞爾・亞當斯和羅伯特・法蘭克（Robert Frank）各約一百件作品。

● 羅伊・李奇登斯坦 藍色地板 1990 石版、木刻、絹印、四層厚紙板 131.4×196.9cm（上圖與左頁圖）

● 理查・迪本孔 無題 約1975 水粉、貼合用紙 © Estate of Richard Diebenkorn（左圖）

● 阿爾布里希特・丟勒 悲哀的人 1509 雕版 12×0.7cm（右圖）

坎特藝術中心旁邊還有個甚具文化氣質的著名史丹佛購物中心，該購物中心的開放式空間設計，有別於一般封閉式的購物中心，已然成為此類型休閒公共場所的典範。遊覽舊金山南灣史丹佛地區的民眾，可以同時飽覽藝術與流行文化，體驗不同的思潮。

（圖片由史丹佛大學坎特藝術中心提供　Photo courtesy Cantor Arts Center at Stanford University）

地址／328 Lomita Drive （at Museum Way），
　　　　Stanford, CA 94305-5060
電話／650-723-4177
傳真／650-725-0464
網址／http://museum.stanford.edu/index.html
開放時間／週三至週日11:00－17:00；週四
　　　　　11:00－20:00；週一、二、感恩節與
　　　　　聖誕節（12/24、12/25）休館。
門票／免費

● 畢卡索 戴帽的妓女 1901 油彩紙板 66×50.8cm © Estate of Pablo Picasso/Artists, Rights Society （ARS）, New York（左上圖）
● 當代展覽室（右上圖）
● 突斯・辛斯基（Toots Zynsky） 迎進混沌（Inviting Chaos） 1995 玻璃彩線 18.4×38.1×19.7cm（下圖）

湯瑪斯・維爾頓・史丹佛畫廊
Thomas Welton Stanford Art Gallery

史丹佛家族的輝煌史蹟，除了著名的大學與坎特藝術中心外，還有一座比較不為人們所知道的湯瑪斯・維爾頓・史丹佛畫廊，隸屬史丹佛大學藝術系與藝術史系所經營與管理。由於勒蘭・史丹佛的兄弟湯瑪斯・維爾頓・史丹佛的捐款，這個畫廊的中世紀風格建築物才得以在1917年興建，並且收藏與展示湯瑪斯・維爾頓・史丹佛的繪畫藏品，然而該批收藏至今多半已經散失或損毀。當1989年舊金山大地震，嚴重損壞了勒蘭・史丹佛博物館時，這個畫廊成為了該校唯一的展覽場所，直到勒蘭・史丹佛博物館重建好，更名為坎特藝術中心，在1999年重新開幕為止。

2000年，湯瑪斯・維爾頓・史丹佛畫廊也曾關閉整建，修復地震所帶來的輕微損害，並加強建築物抗震性與更新畫廊的設備。2001年5月重新開幕後，這個畫廊主要是作為史丹佛大學藝術與藝術史系教學的資源，展陳當代藝術，並且經由研究、教學與對話來刺激學生與大眾對藝術創作過程的認識與了解。每年規劃五項當代藝術展覽與一項研究生的MFA畢業展。近年舉辦過的展覽除了研究生的畢業展外，還有重要舊金山灣區藝術家的展覽，尤其著重攝影展與雕塑展。在這棟建築物裡還有攝影實驗室、版畫工作室、素描工作室。

●史丹佛畫廊外觀

地址 / Stanford University, Department of Art & Art History, 419 Lasuen Mall, Stanford, CA 94305-2018419
電話 / （650）723-3404
網址 / http://art.stanford.edu/galleries-spaces/overview/
開放時間 / 週二至週五10:00－7:00，週六、日13:00－17:00。
門票 / 免費

埃及博物館與天象儀

The Rosicrucian Egyptian Museum & Planetarium

　　古埃及的神秘總是吸引著無數世代的人們。這個位於聖荷西的「薔薇十字會埃及博物館與天象儀」，是美國西岸地區收藏古埃及文物最多的博物館之一。這個極具特色的博物館位於一座小巧美麗的花園裡，周圍有充滿了埃及意象的廟宇建築、象形文字的石柱、雕像、圖飾等。本館的建築靈感來自在埃及卡納克（Karnak）地區的阿蒙（Amon）神廟；外觀建築簡潔素雅，入口處有著十二根裝飾著蓮花圖案的柱子，中間是充滿神聖意味的金色大門，前庭的神像是河馬與鱷魚的結合體，代表著繁盛與健康，兩旁有結合木乃伊與羊的潔白雕像。整體聖潔空靈的氛圍，正是要引領觀眾進入探索那神秘幽遠的埃及文化。

● 薔薇十字會和平花園內的埃及風格建築（上圖）　● 埃及博物館外觀（左頁圖）

　　這個美國西岸最大的埃及文物博物館，是「薔薇十字會」（Rosicrucian Order）總部設立在聖荷西後，首任大將軍（Imperator）史班塞‧盧意斯博士（Dr. H. Spencer Lewis）在1928年創立的，藏品主要來自薔薇十字會所資助的埃及考古探勘協會數年來的捐贈。由於藏品逐年地增加並且超過了二千件，原館空間已經不敷使用，到了1966年11月極具埃及特色的這棟兩層樓新館建築終於完成並開放參觀。它是世界上唯一以埃及風格設計的博物館，並且位於一個再現埃及意象的公園裡。2004年6月「薔薇十字會和平花園」在「薔薇十字會公園」內成立，花園乃仿照著古埃及阿克翰塔騰（Akhetaten）城市遺址內的花園而規劃興建，這個具有教育意函的花園，再現18世紀古埃及建築與植物的特色，營造出了寧靜與合諧的氛圍，是參觀博物館前可以先行感懷這種異國情境之地。

　　今日該館的藏品已經增加到了四千件，包括：陶器、銅製工具、雕像、葬儀船、動物與人木乃伊、珠寶、織品等，分門別類的陳列在以「來世」、「日常生活與貿易」、

●埃及博物館戶外雕塑（左圖）　●埃及博物館戶外雕塑（右上圖）　●埃及博物館標誌（右下圖）

「帝王與宗教」及「神廟」為主題規劃出的四間大展覽室裡。藏品大部分是原始真品，也有一些作為教育用途的複製品。古埃及文明出現在西元前的3000年之間，埃及人基本上是多神崇拜的民族，也執信著來世的觀念，為了讓死後的靈魂不朽並且有依歸，他們為帝王、貴族與神聖動物的軀骸製作成木乃伊，並且埋葬許多陪葬物供其來世使用。在博物館的「來世」展覽室裡，便展陳著許多人與動物的木乃伊、棺木、葬儀物品等。〈葬儀船模型〉，即寓意神妙地載運死者到掌管來世的陰府之神阿比朵斯（Abydos）之處，確保他能夠成功地到另一個世界去。〈托勒密王朝面具〉是給往生者使用的，上面有著精美彩繪的圖案，臉部以金色為膚色，因為金色象徵著太陽與再生，也被認為是神的膚色。這個面具還有著代表農業與受孕的女神艾希斯（Isis）與娜芙希斯（Nephthys），以及其他神祇的圖像，以守護著使用者。〈阿丕斯公牛〉木乃伊則是世界上唯一的三件這類木乃伊之一，阿丕斯公牛是埃及人所崇拜的最重要神聖動物，牠代表著「生命的更新」，牠在死後將成為神祇，成為地下陰府國王的代表，於是牠也被如同帝王般禮遇的製作成木乃伊，以持續來世的生活。

由於該館收藏有許多人與動物的木乃伊，國家地理雜誌曾特別到這個博物館，拍攝製作了兩集有關人與動物木乃伊的影片。該博物館在2005年也與史丹佛大學醫院、美國太空總署（NASA）的生化電腦實驗室（Biocomputational Lab）以及矽谷電腦圖解公司（Silicon Graphics, Inc.）等單位合作，以掃瞄來探測研究一具收藏了七十年的四歲半小孩木乃伊。這項對木乃伊毫髮無傷下，所作的超過六萬個掃瞄的高解析度詳細研究，乃史上僅有。在2006年這個小孩木乃伊的一幅圖像，獲得了國家科學基金會文物視覺化的首獎。

● 埃及博物館大廳雕塑

「日常生活與貿易」展覽室可以看到各種陶土製作出的人物、動物、房屋、與再現當時生活情況的物品與用具等。〈家庭護身符〉（Household Amulets, 1549-332 BC）是埃及人在日常生活中佩帶著的物件，其中「舞動的侏儒」是孩子的守護神，「河馬」雕像是懷孕婦女的守護神，「青蛙」則是代表豐饒的女神。可知對埃及人而言，誠然是萬物有靈。在「帝王與宗教」展覽室可以看到壯麗而優雅的克莉歐帕特拉雕像（Cleopatra VII, c.30 B.C.），以這位女王最喜愛的三頭毒蛇為重點雕飾在額頭上，展現出了這位以魅力與計謀對付羅馬帝國，並且極力捍衛埃及主權的著名女王的人格特質。這件稀有的克莉歐帕特拉石雕像曾參與大英博物館所策劃的巡迴展，2000年10月至羅馬、倫敦與芝加哥等地作為期兩年的展出。〈愛神權杖的尖頂飾〉（Hathor Staff Finial, 712-332 B.C.），是神廟儀式進行中所持的權杖上的裝飾物，這個權杖只有祭司能拿，是獻給愛神海瑟（Hathor）之物，上面凹陷之處，原來鑲嵌著的珍貴寶石已經不見了。〈女吟唱者阿曼碑〉（Stela of a Chantress of Amun, 664-525 BC），描繪著女性在神祇面前演唱或演奏音樂，木質碑上這位女性是一位船長的女兒，而「吟唱者阿曼」是埃及新王國時代貴族女性中流行

● 娜法提提半身像（左圖）　● 生活與貿易展覽室——巴比隆尼亞靈屋（Babylonian Spirit House，右圖）
● 來世展覽室（右頁圖）

的稱號。「神廟」展覽室除了有一座複製的階梯狀金字塔外，還有著名的〈娜法提提半身像〉（Nefertiti Bust, 1912），這件雕像是少有的複製品之一，原作在柏林博物館。娜法提提是埃及法老阿克翰那騰（Akhenaten）之妻，她與丈夫最重要的事蹟是將埃及的多神崇拜改變為一神，娜法提提不只是美貌出眾，在阿克翰那騰死後，也曾統治過埃及。〈塞克曼特〉（Sekhmet, 332-30 BC）是博物館稀有的收藏品，這個細緻的獅頭人身的小型雕像，是醫生的守護神，通常被放置在神廟裡向女神們致敬，以祈求治癒任何的病。

　　埃及博物館的另一個參觀重點是它獨特的「古墓之旅」，這是一個製作於1935年，依照庫納賀泰普（Khnumhotep）之墓的真實尺寸複製的地穴。在墓穴入口處石面牆上的象形文字，形同墓碑文，是對他們的神Ra的祈禱文：「對太陽神Ra的歌頌，當他從東邊天際昇起，看顧著庫納賀泰普……」。兩間墓穴的第一間是奉獻室，牆面上的雕刻描述著葬儀的種種習俗，左邊有庫納賀泰普的神Ra的浮雕，以及供奉神的食物圖像等。第二間是埋葬室，牆面上則展現出墓穴繪畫黃金時期的精采樣貌，有種種日常生活的圖像故事，包括食、衣、住、行、娛樂以及他們所信仰的神祇等，陪伴著往生者。埃及人相信這些畫出或雕刻出的物像都會活起來，持續地服務著它的主人，確保他們在來世裡的生活如同生前一般。在埋葬室中間還有一個牆面被破壞了的空墓坑，（原墓坑裡面乃放置紅色花崗岩石棺與木乃伊），藉以告知世人墓穴被盜的情況。來到南灣的聖荷西地區，

●古墓之旅（上圖）　●克莉歐帕特拉雕像（下圖）

當然要拜訪這座獨特的埃及博物館，必然會對埃及這個古文明豐碩的文化遺產有很多的了解。

　　博物館的旁邊還有一間天象儀館，它的館舍是古代摩爾人的建築風格，館內播放著大衛・烏蘭塞博士（Dr. David Ulansey）對於世人無法解讀的，古代羅馬神秘宗教「米斯拉」（Mithraism）所做的天文學上的詮釋影片，該影片題為「米斯拉神話」（The Mithraic Mysteries），是參觀埃及博物館之後，可以做的另一項知性探索。

地址／1664 Park Ave, San Jose, CA 95191
電話／408-947-3636
網址／http://www.egyptianmuseum. org/index.html
開放時間／週一至週五９：００－１７：００，週六、日１１：００－１８：００，國定假日休館。
門票／全票$9.00，55歲以上與學生$7.00，5至10歲$5.00；5歲以下免費。

拼布與織品博物館

San Jose Museum of Quilts & Textiles

位於舊金山南灣的「聖荷西拼布與織品博物館」（San Jose Museum of Quilts & Textiles），是全美國第一個以拼布與織品為主題的博物館，1977年由聖塔克拉拉拼布協會（Santa Clara Valley Quilt Association）在羅斯・阿托斯（Los Altos）創立，而後在薩拉托加（Saratoga）的購物中心，以及聖荷西市南二街和市中心的一些店面經營，到1986

年整合成為了非營利的博物館。2003年該館與東灣地區由史帝芬・奧利佛（Steven H. Oliver）為首的的慈善家們形成了夥伴關係；奧利佛是舊金山現代美術館（SFMOMA）董事會會長。他們共同組成了「520南一街責任有限公司」，買下了聖荷西市區一棟歷史建築，重新整修後成為了「拼布與織品博物館」永久的家，在2005年嶄新開幕，地址就是聖荷西市南一街520號。它獲得了聖荷西城市再發展機構的130萬美金免利息免責任

●博物館外觀（右上圖）　●拼布展現場

貸款，以及對歷史建築再利用的額外贊助款。「拼布與織品博物館」於是成為了聖荷西市南邊往市中心的藝文要道，也是聖荷西市的十大受歡迎的景點之一。每年參觀者約一萬兩千人次，教育推廣活動觸及八千中小學學生與家庭。

　　織品與服裝是人類生活經驗的核心，每個文化在其歷史中都會凝塑出獨特的織品服裝傳統。到了1970年代，在西方婦女運動與女性主義運動盛起之際，一批受過正式學院訓練的女性藝術家，開始將纖維素材當作純藝術媒材來創作，挑戰人們對織品形式的意圖與內涵的傳統想法，也讓大眾對這種藝術形式開始有了不同的認識。「聖荷西拼布與織品博物館」的創立宗旨，即在保存傳統的拼布與織品中，增進民眾對這些具有深厚文化根源的媒材與技法，轉變成為藝術和文化表達之形式的認知、理解與欣賞。

　　「聖荷西拼布與織品博物館」規模不大經費不多，收藏約有六百件拼布作品、

●艾蓮娜・麥可肯恩 九宮格色彩研究（左圖）
●館藏拼布作品（右上圖）
●方形鳳梨拼布／木屋變化構圖 19世紀（左頁左上圖）
●麥克・詹姆斯 漸層多彩條紋#4（左頁右上圖）
●瑪麗・泰勒・羅伊・奇 祖母的花園拼布 19世紀（左頁左下圖）
●瑪麗・泰勒・羅伊・奇 祖母的花園拼布細部（左頁右下圖）

服裝、各國的傳統織品與當代作品等等。近年重要的館藏品主要來自伊凡・波瑟拉（Yvonne Porcella）所捐贈的各國傳統織品與服飾收藏，以及璐西・希爾提（Lucy Hilty）捐贈的拼布收藏。館藏品例如，製作於19世紀的〈方形鳳梨拼布／木屋變化構圖〉，在這件拼布中美國典型拼布構圖「木屋圖案」，在層層疊置的細長布塊中，被巧妙地轉變成為了抽象而多彩的鳳梨造型意象，詩意地呈現出鳳梨表面的起伏狀態。〈祖母的花園拼布〉，也是製作於19世紀，作者是撰寫美國國歌的法蘭西斯・史考特・奇（Francis Scott Key）的太太瑪麗・泰勒・羅伊・奇（Mary Tayloe Lloyd Key），這件作品的背面並未完成，有趣的是作者用她丈夫寫給她的信作為裁切八角型的紙襯，因此背面還可以看到法蘭西斯・史考特・奇的手稿，為這件璀璨多彩的拼布添加了一段歷史的逸文。當代的拼布收藏品如，麥克・詹姆斯（Michael James）的〈漸層多彩條紋#4〉，

●黎仕煌旗袍

一貫地展現出他處理色彩絕妙的手法。

　　博物館每年規劃舉辦約八至十項展覽，重要展覽如「2005年全國拼布展」、「瑪俐恩・克蕾登藝術與服裝回顧展」（Retrospective of the Art and Fashions of Marian Clayden）。另外「歐伊也：越南現代設計的未來式」展（Ao Dai：A Modern Design Coming of Age），非常難得的展現出越南傳統服裝的過去、演變與現在風貌，以及服裝如何成為社區文化表達的符號，與戰後一代文化再創新的標誌。作品例如越南著名旗袍設計師黎仕煌（Le Si Hoang）製作於2004年的服裝；加上珠飾的絲絨上衣，以及裝飾著刺繡、珠飾與小鏡子的棉質裙。這件作品的靈感來自於古老波斯著名的地毯，呈現著東方（越南與波斯）文化神祕之美與完美的合諧。艾蓮娜・麥可肯恩（Eleanor McCain）的個展「變化二次方」，運用拼布創作來轉變傳統的功能性與象徵性，並且破除了工藝與藝術的界線。在〈九宮格色彩研究〉作品上，她將拼布製作傳統中的九塊布拼組的構圖，做了極致的發揮。在此，畫面雖然平坦，但是在層次的九塊布面多重建構之中，在繁複色彩的疊置或並置的圖案變化中，已然碰撞出了無限的能量、驚嘆與遐想。

　　最近博物館還與中國北京清華大學合作，規劃推出了「改變中的景觀：中國當代纖維藝術展」，展出來自中國的四十八位藝術家的四十五件作品，涵蓋平面織錦畫以及織物雕塑，呈現出了三代中國纖維藝術家，對於過去十幾年來，改變中國景觀的經濟、政治、和社會之劇烈變遷的記錄、觀察和回

應。這項展覽成為了博物館近年來參觀人數最多的一項大展。王凱的作品〈河&原〉靈感來自中國第一大河黃河流域穿流布陳在黃土高原的地理風貌，再結合了黃河瀑布的壯麗意象為構圖，用高布林織錦畫技法製作出巨幅作品。它的龐然氣勢與脈流複雜的地原景觀，暗示著中國豐厚的文化積層、精神內涵，以及源遠流長的文明發展史。白鑫的作品〈芳菲〉，是三件不同尺寸大小的正方體，每個正方體的六個面上各自呈現出一方綠草如

● 王凱 河&原

茵的夢奇地，它們是作者童年在鄉間原野嬉戲的美好記憶，也如同從飛機上往下看到的一片片自然綠地。這系列作品用玉米葉纖維、松與竹所構成的飄浮綠地，象徵著今日都會高樓叢林裡難以尋覓的綠色家園。趙丹丹的作品〈八月的記憶〉，靈感來自中國北方12月的初雪落在樹枝上的景觀。對作者而言，雪的白淨、單純與脆弱性，如同對照著現代社會的冷漠，以及都市人們所容易遺忘的自然本質。這件作品運用不鏽鋼建構出半月形交編的骨架，上面用透明尼龍線纏繞成一個個白色球形，如同承接著的純白雪花，再結合著交織垂掛的線條，整體造型引動出了令人遐想與神往的空間。

　　拼布與織品博物館除了本身規劃的活動外，每個月的第一個週五，也與南一街附近的十餘個畫廊與藝術中心，共同舉辦「南一街週五藝術饗宴」，博物館與所有參與的藝術單位都免費參觀，並且開放至深夜，成為了聖荷西市中心每個月藝文活動的高潮。

（圖片由聖荷西拼布與織品博物館提供 Photo courtesy San Jose Museum of Quilts and Textiles）

地址 / 520 South First Street, San Jose, CA 95113
電話 / 408-971-0323
傳真 / 408-971-7226
網址 / http://www.sjquiltmuseum.org
開放時間 / 週二至週日10:00－17:00，週一與國定假日休館。每月第一個週五晚上8:00－11:00。
門票 / 全票$6.50，優待票$5.00，12歲以下兒童免費，博物館會員免費，每月第一個週五免費。

聖荷西美術館
San Jose Museum of Art

　　聖荷西美術館創立於1969年，乃舊金山南灣地區主要的現代美術館，位於矽谷的核心，聖荷西市南市場街廣場中心，右邊毗鄰著名的聖約瑟夫教堂（St. Joseph's Basilica），左邊是費爾蒙大飯店（Fairmont Hotel），正對面是席塞・查維茲公園廣場（Plaza de Cesar Chavez Park），它與公園廣場另一邊的科技與創新博物館遙遙相望。南市場街廣場早自1778年便是聖荷西市政廳所在地，是市政公告、民眾聚會、教會遊行之地，今日則是藝文與休閒活動的中心。聖荷西美術館的建築涵蓋著一棟由威爾洛比・艾德布魯克（Willoughby Edbrooke）在1892年所設計的羅馬風格的歷史建物，這棟古老建築原來是郵局大樓，1937年改作為圖書館，目前是聖荷西美術館的行政大樓，與之銜接著的還有一棟嶄新的現代化美術館建築，由史奇摩爾、歐文斯與莫瑞爾（Skidmore, Owings & Merrill）所設計，在1991年完成對外開放。聖荷西美術館與費爾蒙大飯店之間的廣場，有高聳的椰子樹圍繞著，讓美術館外的空間顯得開闊而且悠閒自在。

聖荷西美術館的收藏著重在20與21世紀的藝術品，尤其是1980年代以後的灣區藝術家的創作，典藏品共有約兩千件，媒材涵蓋著雕塑、繪畫、版畫、數位藝術、攝影與素描等，重要藝術家如：羅伯特‧安納森、米爾頓‧艾佛瑞（Milton Avery）、瓊‧布朗、黛伯拉‧巴特菲爾德（Deborah Butterfield）、吉姆‧坎貝爾（Jim Campbell）、戴爾‧屈胡利（Dale Chihuly）、理查‧迪本孔、費利普‧賈斯頓（Philip Guston）、理查‧蕭、比爾‧維奧拉、東尼‧奧斯勒（Tony Oursler）等等。一樓的展覽室專門作為變動性主題展用，舉辦過的重要展覽如：「聖荷西全球前衛藝術節雙年展：「超級光」特展」、「費瑞達‧卡蘿經典肖像展」，以及「安迪‧沃荷版畫展」等。一樓高挑的大廳天花板上，懸掛著著名玻璃藝術家戴爾‧屈胡利的數件色彩鮮麗的玻璃雕塑，如同華麗的古典吊燈的現代詮釋。走上二樓的樓梯間，可以看到華裔美籍藝術家劉虹（Hung Liu）的巨幅繪畫〈中國人側面肖像〉，雖然挪用古老照片上的人物，劉虹在此巧妙地將畫家的主觀性加入攝影的客觀性中，描繪出一位傳統中國女性的側面，並且以亞麻子油刷洗過畫面，使圖象如同沉浸在隨著重力滴流的油彩之中，畫家藉此手法探掘著照片人物背後的故事，思索著中國保守社會裡的性別與主體性的議題。二樓大廳牆面上也有數件劉虹的畫作。

　　二樓左邊有三間典藏品展覽室，大約半年會更換展品一次，右邊還有一間特展室。第一間典藏展覽室展出著「自發的文化：舊金山抽象表現主義」。舊金山在1940年代間開始出現明顯可辨識的藝術風貌，一般認為是源自紐約抽象表現主義的第二代，但是又與之不太相同，這個新藝術運動被稱為「原初的感覺」（First Sensation）、或「精神主義」（Spiritism）。愛德華‧寇貝特（Edward Corbett）的〈無題──黑色繪畫〉，表現出的是瀰漫在50年間麥卡錫時期（McCarthy Era），美國人對共產主義的恐懼下，人心惶惶害怕被扣上與共產黨有關的罪名，所造成的黑暗歲月。在此黑色代表著人心的越來越增加的疏離感。艾爾莫‧畢修夫（Elmer Bischoff）的繪畫，具有爵士樂的即興感

● 美術館外觀（上圖）　　● 美術館夜景（左頁圖）

與卡通的意趣，展現出塗鴉式筆觸、遊戲性或草率的線條，在抽象表現的畫風中流露著他獨特的幽默。法蘭克・羅伯戴爾（Frank Lobdell）的作品〈二月〉，與抽象表現主義繪畫的輕率與衝動截然不同，呈現出了緩慢而刻意的抽象筆觸，這件作品是對二次世界大戰期間，人類對生命的意義、目的與尊嚴的無止境掙扎之沉思，於是畫家經由畫面上的造形表達出沒有重力、沒有框界、沒有實體的情境。

　　第二間典藏展覽室以「主題的變化」為大架構，再以數個子題：環境與永續性、都會風景、人與身體權謀的故事、信念與精神性，挑選出運用多種媒材創作的舊金山藝術家的精品展出。愛德華・伯提斯基（Edward Burtynsky）的攝影作品〈油田〉，探討著地球上土地的利用與被濫用的複雜議題，作品的景象取自加州最貧窮卻生產著最大財富的郡，即中谷鎮的伯瑞吉（Belridge）地區的龐大油田。伯提斯基的作品一貫地思索著大自然在人類科技的介入下產生的變化，豐富的畫面意象既具體又抽象，是我們現代生活困境的隱喻，探尋著誘惑與恐懼、吸引與排拒之間的對話。新媒體藝術家珍妮佛・史坦肯普（Jennifer Steinkamp）的數位虛擬動畫影像〈飛向火星〉，展現出一棵樹的枝幹不斷地以90度角垂下再抬起，並且歷經四季的變化，如同被賦予了魔咒般，這個虛假的自然有它全然的自主性與客觀性，超然物外。爾文・諾曼（Irving Norman）的巨幅油畫〈城市的甦醒〉，精細地而且批判地，描繪著繁複的都會與當代生活景象，如：摩天大樓裡奮力工作的人們，高速公路上塞滿的人車潮等，都是在為金錢忙碌奔波。諾曼的作品是給現代社會人士的棒喝，他希望藉繪畫的啟示，促進人類的改變。另外還有杉朵・伯克（Sandow Birk）的木刻版畫、陶德・希多（Todd Hido）與羅伯特・伊塞克（Robert Isaacs）捕捉城市景的攝影，華特・羅賓森（Walter Robinson）的雕塑等。

　　第三間典藏展覽室的主題是〈過程即範例〉。在過去一百年來，藝術家們越來越著重創作的過程、探索著非傳統的素材，並且致力發展創新的技法。這項展覽希望讓觀眾去注意藝術家如何混搭運用各種媒材在創作裡，例如：攝影與繪畫的融合、雕塑與錄像

● 裝置展覽室景（上排三圖）

的混合等形式。入口處是凱瑟琳・史班斯（Kathryn Spence）的泥雕塑，這件作品運用在舊金山市區裡收集來的廢棄舊浴袍、填充玩具、毛巾等物品，組構在一起再裹上泥巴完成泥動物雕塑。這個怪異的動物讓人心焦慮悲痛，它的脆弱與認命，也讓人們要去省思都會環境裡被遺忘與忽略的層面。著名的多媒體錄像裝置藝術家東尼・奧斯勒（Tony Ousler）的作品〈Slip〉，即是展場顯著的重點，這件作品以玻璃纖維作成蛇狀扭曲的雕塑造型，呈現出扭曲的臉上只有一雙眼睛上下的陳列，中間是扭曲的嘴巴，不斷地發出「嘶」的聲音。奧斯勒的作品總是震撼人的提出另類的視點，挑戰著觀者的思維，藉由變異造型的構成物，剖示出人類生活中的種種壓力與無法言說的心理意象。英國藝術家大衛・納許（David Nash）以樹木為創作媒材知名世界，採用的都是各種斷落的樹木，再使用鏈鋸來裁切組構，有時還會加以燒灼來完成作品。他認為木是「水、火、土與空氣的交織」，他的木雕塑探討著化學、幾何、煉金術、人類學、文化歷史、時間、神話與傳說，然而最重要的還有創作與自然還有人類環境之間的關係。

第四間特展室目前展覽著過去三十年來，世界各國優秀女性藝術家的版畫作品，陳述出性別、身體、主體性、個人對渴望的幻想、政治與環境等等議題，有些作品也交織著幽默感與遊戲性，將個人創造性思維與願景融入廣大的歷史題材與觀念性旨意。展出藝術家包括有安妮・艾爾伯斯（Anni Albers）、史奎克・卡娃斯（Squeak Carnwath）、芭芭拉・克魯潔（Barbara Kruger）、路易斯・納佛森（Louise Nevelson）、露薏絲・布爾喬亞（Louise Bourgeois）、奇奇・史密斯（Kiki Smith）、朱娣・法芙（Judy Pfaff）等。

（圖片由聖荷西美術館提供 Photo courtesy San Jose Museum of Art）

地址 / 110 South Market Street, San Jose, CA 95113
電話 / 408-271-6840
網址 / http://www.sjmusart.org/
開放時間 / 週二至週日11:00－17:00，週一、元旦、感恩節、聖誕節休館。
門票 / 全票$8.00，65歲以上與學生$5.00，6歲以下免費。

● 博物館外觀（左圖）　● 阿西斯的聖塔克拉拉教會（右圖）　● 迪‧塞瑟特家族收藏（右頁左圖）　● 教會文物（右頁右圖）

迪‧塞瑟特博物館

de Saisset Museum

　　迪‧塞瑟特博物館位於聖塔克拉拉大學內，聖塔克拉拉大學創立於1851年，即加州淘金熱時期，至今約有一百五十多年歷史，是加州最古老的高等學府，也是一間極具聲譽的私立天主教大學，校園以西班牙風格建築為主，統一的潔白牆面與褐色的屋頂，樸實高雅，也有著天主教的規律感。迪‧塞瑟特博物館的斜對面是著名的歷史建築，即加州最古老的二十一個教會的第八個，創立於1777年的阿西斯的聖塔克拉拉教會（Mission Santa Clara de Asis）。阿西斯的聖塔克拉拉教會是18世紀西班牙文明進入聖塔克拉拉山谷地區的前哨站，當時教會的使命在於教化當地的印地安原住民。這個教會歷經數次的改建，最後一次的重建是在1926年祝融之災後，完成於1928年。至今這個教會仍然是聖塔克拉拉大學社區做彌撒、受洗、結婚與喪禮等活動的重要場所。

　　迪‧塞瑟特博物館本身是一棟獨立的兩層樓建築物，創立於1955年，是伊莎貝爾‧迪‧塞瑟特（Isabel de Saisset）的遺贈。迪‧塞瑟特是來自法國的一個顯赫家族，祖先是墨西哥後裔，1849年伊莎貝爾的父親佩多羅（Pedro de Saisset）來到美國後，成為了聖荷西市的法國領事，後來入籍美國還創立了此地的電力公司，成為當時代這個地區顯要的家族之一。伊莎貝爾為了紀念在三十五歲就過世的畫家哥哥爾內斯特（Ernest, 1864-1899），在她過世前將所收藏的爾內斯特大批畫作，與其他收藏品捐贈給學校，同時還捐贈了她在聖荷西市的產業，讓學校在校園內興建這個精巧的博物館，以收藏與展陳她所捐贈的藏品。

這個博物館地下一樓的展覽室，長期展陳著迪・塞瑟特家族的部分收藏外，還有聖塔克拉拉大學的加州歷史文物收藏展覽，包括早期美洲原住民藝術的編籃、珠飾與工具等，教會文物包括宗教繪畫、袍服、雕像，以及1791年教會教堂的柱石，16世紀的木刻雕像瑪莉・瑪格達琳（Mary Magdalene）等。這些收藏成為了該館推廣教育活動的基石，每年有數千學童來此地校外教學參觀，博物館也有導覽人員為參觀者詳細講解展品。一樓則有兩間主要展覽室，舉辦著特別規劃的當代藝術展覽。近期展覽有「當代新媒體藝術展」，由博物館與聖塔克拉拉大學藝術史系共同策劃舉辦，展出在舊金山灣區的藝術家們，運用電子媒體、數位與網路，來探討當代科技如何塑造了我們的自我、我們的視野、我們的身軀與我們的世界，審視人們對科技的迷思，以及科技在監視與模擬上造成的潛在糾紛與困擾。「爾內斯特・迪・塞瑟特畫展」則特別地從典藏的百幅爾內斯特的繪畫中精選出肖像畫展出。

1989年迪・塞瑟特博物館獲得了海倫・強生（Helen Johnson）的一批攝影收藏，涵蓋了著名攝影家安塞爾・亞當斯、威恩・巴拉克（Wynn Bullock）、伊莫肯・康寧漢、安妮・里伯維茲（Annie Leibovitz）等人的作品。另外這個館還收藏有20世紀重要的後印象派女性藝術家函瑞艾塔・秀爾（Henrietta Shore, 1880-1963）的一批數量龐大的繪畫。來參觀這個博物館的同時，可以遊覽聖塔克拉拉大學美麗的校園，並且拜訪極具歷史價值與意義的阿西斯的聖塔克拉拉教會，藉此進一步了解北加州這個地區的發展史。

地址 / 500 El Camino Real, Santa Clara, CA 95053
電話 / 408- 554-4528
網址 / http://www.scu.edu/deSaisset/
開放時間 / 週二至週日11:00－16:00
門票 / 免費

蕾絲博物館
Lace Museum

　　位於桑尼維爾市（Sunnyvale）的蕾絲博物館，由雪莉‧赫倫（Cherie Helm）與葛瑞絲‧拉森（Gracie Larsen）共同創立於1978年，在1981年遷移至今日的現址。小小的博物館收藏了數百件從19世紀至今的蕾絲織品、織作的工具與器材、書籍等等。該館一年安排四檔展覽，以更換收藏品讓大眾欣賞，也常態地規劃蕾絲製作教室，以持續地推廣與保持這項傳統的媒材與其製作形式。

　　蕾絲品多半以白色的細紗線編織，構成薄網狀織品，作為服裝或家飾織布的花邊。因為蕾絲的作工複雜精細，在16世紀之前，這種稀少而奢侈的手工製品大多是奉獻給上帝與教會。從16世紀文藝復興開始，尤其在17世紀巴洛克時代崇尚瑰麗奢華的美學風潮中，極具裝飾性的蕾絲大為盛行於歐洲各國，如義大利、法國與西班牙等，到了19世紀維多利亞時代，蕾絲更是婦女們的最愛。蕾絲的製作技法繁多，如：棒槌編織蕾絲（Bobbin Lace）、比利時傳統的細緻伯爵蕾絲（Duchesse Lace）、英國以網狀底紋

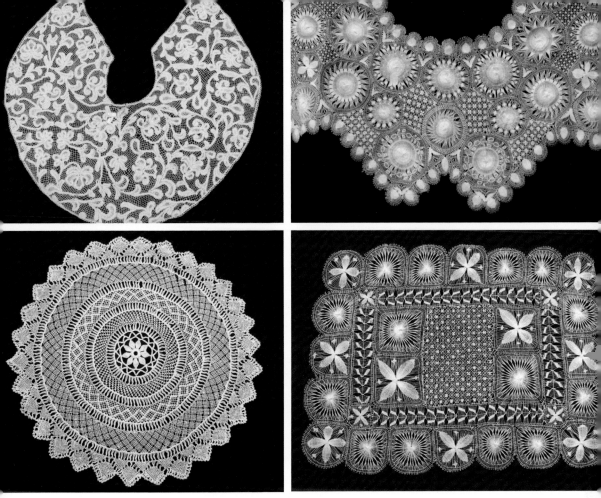

● 梭結花邊蕾絲品（左上圖）　● 蕾絲品（右上圖）　● 亞美尼亞蕾絲品（左下圖）　● 巴拉圭蕾絲品（右下圖）
● 蕾絲博物館外觀（左頁上圖）　● 蕾絲博物館展覽場景（左頁下圖）

為主的霍尼頓蕾絲（Honiton Lace）、法國的香堤莉蕾絲（Chantilly Lace）、蘇俄蕾絲（Russian Lace）最早可以追溯到12世紀、丹麥的丹諾蕾絲（Danois Lace）、梭編蕾絲（Tatting Lace）、愛爾蘭針勾蕾絲（Irish Crochet）、繃圈蕾絲（Tambour）、亞美尼亞結飾蕾絲（Armenian Knotted Lace）等。

　　這個館完全由熱心的義工在協助經營與規劃活動，實在是很難得。進館參觀時，義工還會巨細靡遺地為參觀者講解展陳的各式細緻精巧蕾絲品的技法與特色。在此蕾絲品的豐富樣貌，以及歐洲婦女們的巧手細心與耐心，展現出了最耀眼的光芒。

（圖片由蕾絲博物館提供 Photo courtesy Lacy Museum）

地址／552 S. Murphy, Sunnyvale, CA 94086
電話／408-730-4695
網址／http://www.thelacemuseum.org/
開放時間／週二至週六11:00－16:00，7月4日、元旦、感恩節、聖誕節休館。
門票／免費

崔登美術館
Triton Museum of Art

　　崔登美術館是農場經營者、律師與藝術愛好者羅伯特·摩根（W. Robert Morgan），在1965年設立於聖荷西市，兩年後才遷移至位於聖塔克拉拉市民中心對面的現址，這個美術館的名稱是以希臘神話中的海神崔登（Triton）為名。今日該館的後現代風格建築物，是因應70年代間聖塔克拉拉地區經濟與人口的蓬勃發展，在1987年改建完成，以服務廣大的社區民眾。

　　周圍環繞著7英畝大的公園，美術館的白色幾何面的外牆與條柱裝飾的入口，以及具有曲線弧度面的庭院，讓它展現出了純淨悠閒的風雅格調。館內空間寬敞，中間圓型

● 馬雕像（左上圖）　　● 特瑞絲・梅的藝術拼布（右上圖）　　● 美術館有曲線弧度面的庭院（下圖）
● 美術館外觀（左頁圖）

大廳有高挑透光的金字塔型玻璃頂，由此為軸心向外伸展出兩個主要的展覽室，一間是常設展覽室，展出著19與20世紀美國藝術，另外一間展覽室則規劃著各種主題的特展，著重在當代加州尤其是灣區藝術家的創作，例如：「多元印象：灣區的抽象繪畫」、「特瑞絲・梅的藝術拼布」等等。該館豐富的教育課程與活動，多半免費或收費低廉，以嘉惠更多的社區孩童。

　　參觀美術館後還可以再遊覽一下周圍公園裡的環境，會看到一座美術館創始人羅伯特・摩根所捐贈的銅馬雕像與其他戶外雕塑，另外還有一棟興建於1866年，屬於維多利亞風格的詹米森–布朗宅邸（Jamieson-Brown House）。

地址 / 1505 Warburton Ave,
　　　Santa Clara, CA 95050
電話 / 408-247-3754
網址 / http://www.tritonmu
　　　seum.org/
開放時間 / 週 一 至 週 日
　　　　　11:00－17:00，
　　　　　週 四 11:00 －
　　　　　21:00，國訂假
　　　　　日休館。
門票 / 免費

美國傳統博物館

Museum of American Heritage

美國傳統博物館位於帕洛・阿托（Palo Alto）市區的歷史性建物威廉宅邸（William House）內，它在舊金山南灣區，距離舊金山市約30英里。帕洛・阿托這個城市有一百年的歷史，被稱為是「矽谷的發祥地」，鄰近史丹佛大學，在參觀坎特藝術中心後可以順道拜訪這個甚具特色的博物館。

這個小型博物館是帕洛・阿托市的一位會計師法蘭克・利佛摩爾（Frank Livermore）在1990年設立的，展品主要來自利佛摩爾從1960年代以來的收藏。展品涵蓋19至20世紀中期，有關美國科技的發明與演進的物品，包括各式機械與電子產品，如打字機、照相機、收音機、收銀機、烤麵包機、磨咖啡機、醫療器材、家庭用品、玩具等等，琳琅滿目卻也分門別類地善加陳設，整個館充滿了濃厚的懷舊氛圍。另外還有一間1920-30年代的印刷工廠，與一間1940年代的收音機維修場。近期有一項有關音樂的特展「悅耳之聲」（Music to One's Ears），展出了許多類型的古老樂器，深具教育意義。為了配合展覽，博物館也舉辦著音樂與演講的活動。該館還設有工作坊，舉辦著許多探索機械與電子的科學性教育活動與課程。這個小而豐富的主題性博物館，極為用心於發揮其服務社區與民眾的理念。喜愛機械物件的人們，將發現這個從生活文明出發的博物館，不落俗套也充滿了趣味。

地址 / 351 Homer Avenue, Palo Alto, CA 94301
電話 / 650-321-1004
網址 / http://www.moah.org/
開放時間 / 週五、六與週日11:00－16:00。
門票 / 免費

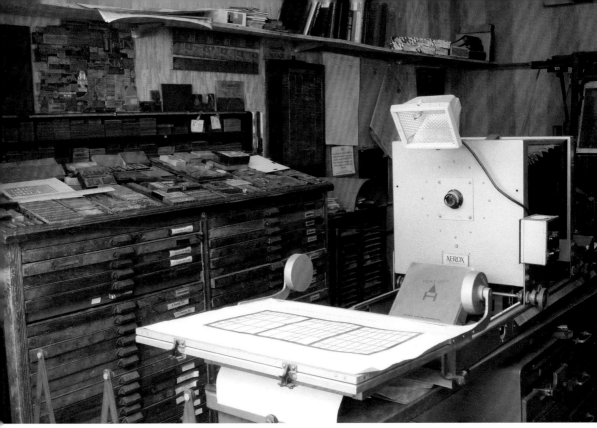

● 印刷工場（上圖）　　● 音樂點唱機（左下圖）　　● 音樂展覽室（右排上圖）　　● 展覽室景（右排下圖）

● 美國傳統博物館外觀（左頁圖）

法蘿莉花園宅邸
FILOLI

　　法蘿莉花園宅邸位於舊金山區南灣的紅木市（Redwood City）。這個龐大的花園宅邸整個產業有654英畝大，它是以礦業，尤其金礦致富的舊金山大亨威廉‧包爾斯‧柏恩（William Bowers Bourn）夫婦所興建的私人宅邸。威廉‧包爾斯‧柏恩也是春谷（Spring Valley）水公司的擁有人。這棟由建築師威利斯‧波爾克（Willis Polk）所設計的豪宅，共有36,000平方英尺、四十三間房間、十七個火爐，完成於1917年，其建築風格是多元的融合。它的主體是英國喬治王時代風格（Georgian style），規律與均衡，然而卻搭配有高挑的拱形頂窗戶，法國式的門，屋外的磚瓦陳置是佛蘭德（荷蘭）的形式，鑲邊是英國17、18世紀的斯圖亞特（Stuart）時期的風貌，屋頂則是西班牙的傳

統。這種折衷主義的建築形式，反映出了加州歷史上的黃金時期，自信地擺脫了傳統制式的設計，流露出在創造性與表現力方面的驕傲。法蘿莉（FILOLI）這名稱來自柏恩的信條：為正義而奮鬥，愛你的同胞，過美好的生活（Fight for a just cause; Love your fellow man; Live a good life）。

宅邸內許多的主要房間都有高挑達17英尺高的屋頂，目前僅一樓開放參觀，二樓不對外開放。室內陳置著優雅的18、19世紀英國的古董家具，餐廳裡有一幅三褶屏的織錦畫，美麗璀璨的構圖正是這個花園宅邸的風貌。室內各式古老的木製櫥櫃，雕飾雅緻，內部陳設著收藏的美麗瓷器或其他物品。書房的整個牆面都覆蓋著材質溫潤的胡桃木，最具特色的是寬敞高挑的大宴會廳（ballroom），它的牆面上裝飾著五幅色彩柔和的壁畫，整個房間是淡雅的湖綠色調。這個宴會廳的設計是柏恩夫人與壁畫家恩斯特·佩索托（Ernest Peixotto）的合作，壁畫描繪著柏恩夫婦所鍾愛的愛爾蘭的馬克羅斯（Muckross）宅邸、修道院與奇拉內湖（Lakes of Killarney）的景致。

宅邸周圍的美麗花園有16英畝大，由著名畫家、雕塑家、壁畫家、造園設計師布魯斯·波特（Bruce Porter）所規劃設計，1917年開始至1929年才完成。花園裡植物與花卉的植栽是由伊莎貝拉·沃恩（Isabella Worn）督導。柏恩夫

●法蘿莉花園（上二圖）　　●法蘿莉花園宅邸（左頁圖）

婦過世後，這個產業在1937年由威廉‧羅斯（William P. Roth）夫婦所購得，羅斯夫婦購買了這個產業後，仍然聘請沃恩持續她的園藝工作。於是花園宅邸被完善地保存了下來，進而更廣為人知。羅斯夫人因為對花園的用心經營與推廣，獲得了許多獎項，因此這個花園是以她的名字露琳‧羅斯（Lurline B. Roth）命名。羅斯夫人在1975年將125英畝的花園宅邸捐贈給「國家歷史保存信託」，整體654英畝的產業則由「法蘿莉中心」經營並且對外開放。至今這個花園仍然有四十位全職的園藝家、無數實習學生與超過一百位的義工在協助維護著，讓此地一年四季裡美景常在。

●法蘿莉花園宅邸古董鋼琴（上圖）　●法蘿莉花園宅邸內部大廳（下圖）　●法蘿莉花園宅邸餐廳的織錦畫（左頁圖）

　　法蘿莉花園宅邸外圍的遊客服務中心，大廳裡也陳設著美麗的花卉，牆面上與走廊兩側像個小畫廊，掛著許多彩繪此地建築與花卉的畫作。在此還可以先觀看一部介紹法蘿莉的歷史短片，從短片中欣賞此地最美的四季風貌。離開服務中心，在法蘿莉花園宅邸後面有一棟鐘塔建築物，即花卉藝品店。這棟建於20世紀初的法蘿莉花園宅邸已經成為北加州的地標之一，提供給所有愛好自然、植物、花卉、歷史與文化的大眾們觀賞。

地址／86 Canada Road, Redwood City, CA94062
電話／（650）364-8300
網址／www.filoli.org
開放時間／週二至週六10：00－15：30，週日11：00－15：30。
門票／全票$12.00，學生$5.00，5歲以下免費。

東灣地區博物館

ND PACIFIC FILM ARCHIVE

Art Museums in San Francisco

加州奧克蘭博物館
Oakland Museum of California

加州奧克蘭博物館是加州唯一致力於分享、陳述與展覽有關加州的藝術、歷史與自然科學的綜合性博物館，也是舊金山灣區這類型文化機構中最大的博物館之一。這個博物館的後現代風格建築，是由普立茲克建築獎得主凱文‧羅希（Kevin Roche）所設計，被認為是當時「在美國最具革命性思維的都會博物館」，在1969年正式對外開放。博物館整合了原來的奧克蘭美術館、奧克蘭公共博物館與自然史博物館，將三者合而為一，並且以加州為其核心主題。博物館佔地共7.7英畝大，

● 加州奧克蘭博物館外觀

包括有四個層次的花園平台，景觀設計師丹‧奇磊（Dan Kiley），將這個博物館的花園設計為古代美索不達米亞景觀的現代詮釋，藉此作為博物館嚴謹幾何結構建築的互補與柔化。加州奧克蘭博物館與花園因為匠心獨運的創意建構，獲得了許多獎項，也吸引了來自各地的參觀者。目前博物館的藝術與歷史展覽室對外休館，正在進行全面性的內部空間改造，以因應21世紀的新思潮，預計在2010年嶄新對外開放。目前只有一樓的自然科學展覽室與側廊特展室，以及二樓的兩間特展室對外開放。

加州奧克蘭博物館的各種類別收藏共約一千兩百萬件，包括藝術品、歷史文物、人類學物件、自然標本、攝影與檔案等等。一樓自然科學展覽室展陳加州地區多元的生態與物種，右邊的特展室目前展出杰夫‧瓊斯（Jeff Jones）所拍攝的「美洲杉木的未來」攝影展，捕捉住加州著名的美洲杉（即紅木）國家公園（Sequoia and Kings Canyon National Parks）裡原始而美麗的自然景觀，與其遭受污染的威脅。穿過自然科學展覽室，最後面有一間特展室，展覽著「早期加州的藝術與歷史」，以繪畫、照片、器具與各種文物，來探索從美洲原住民到淘金熱時期的加州之源起的多元化故事。入口處一幅巨大繪畫是湯姆斯‧希爾（Thomas Hill, 1829-1908）所繪的〈優勝美地山谷〉，宏偉的

● 自然科學展覽室（上圖）　● 早期加州的藝術與歷史（左下圖）　〈優勝美地山谷〉（右下圖）

高山、壯麗的瀑布、茂密的森林及印地安人的帳棚，讓觀者懷想著當時的自然美景。喬
治·亨利·伯吉斯（George Henry Burgess）所繪的〈1849年7月的舊金山〉，呈現出了
當年船隻進入金門灣的景象、城市樣貌以及多元的人種，都是了解這個地區發展極佳的
例證。

　　二樓的特展室展出著「在墨西哥的非洲人」，非洲人最早在1519年來到墨西哥，
這項展覽審視著長久以來被忽略了的非洲人對墨西哥文化上的貢獻，展品包括繪畫、版

畫、電影海報、照片、雕塑、服裝、面具、樂器與其他藝術和流行文化的物件。第二間特展室極為寬敞，目前推出了當代加州藝術家也是柏克萊大學教授的史奎克‧卡沃斯（Squeak Carnwath）個展「繪畫不是尋常物件」，共展出四十餘件作品。對卡沃斯而言，繪畫是一種哲學性的冒險、一種煉金術、存在的紀錄與人類精神的寶庫。她的題材來自生活，畫面圖像充滿了文字、數字、圖表、圓圈或兔子等，以層次的彩繪表現拼貼的意象，探討著當代生活中失落、孤寂、快樂與知識等議題。

　　博物館的藝術部門原名為奧克蘭畫廊，創立於1916年，收藏品以出生、居住、讀書或曾在加州工作過的藝術家的創作為依據，涵蓋各種媒材：繪畫、雕

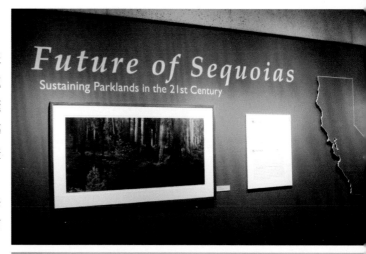

● 「美洲杉木的未來」攝影展（上圖）　　● 史奎克‧卡沃斯展覽場（下圖）

塑、素描、版畫、攝影、綜合媒材、裝置與工藝等，從18世紀末至今的作品共約七萬一百件，重要收藏包括：朵勒西亞‧蘭（Dorothea Lang）、安塞爾‧亞當斯與愛德華‧威斯頓（Edward Weston）的攝影作品，艾爾伯特‧畢爾斯塔（Albert Bierstadt）描繪優勝美地（Yosemite Valley）的古典油畫，以至凱瑟琳‧維格納（Katherine Wagner）的當代數位版畫等等。讓我們就期待博物館空間改造轉型後，展陳美術收藏的新面貌吧。

地址 / 1000 Oak Street, Oakland, California 94607
電話 / 510-238-2022
網址 / http://www.museumca.org/
時間 / 週三至週六10:00－17:00，週日12:00－17:00，每月第一個週五開放至21:00，週一、二與元旦、7月4日、感恩節、聖誕節休館。
門票 / 全票$8.00，65歲以上與學生$5.00，6歲以下免費，每月第二個週日免費。

柏克萊大學美術館太平洋影片檔案
Berkeley Art Museum & Pacific Film Archive

柏克萊大學美術館與太平洋影片檔案是世界上最大型的大學美術館之一，在著名藝術家、教師暨抽象表現主義畫家漢斯‧霍夫曼（Hans Hofmann）捐贈了個人的四十五幅繪畫，以及25萬美金給柏克萊大學後，這個美術館在1963年正式成立。今日這棟設立在柏克萊大學校區南邊的獨特現代主義建築，完成於1970年。由舊金山建築師瑪里歐‧西安皮（Mario Ciampi）、理查‧裘拉希（Richard L.Jorasch），以及朗納德‧華格納（Ronald E. Wagner）所設計的這棟10萬平方英尺大，精練簡潔的懸臂式水泥構造，乃以斜坡交錯進出連接各個樓層與空間，形成獨特而且開闊的前衛展覽場域。這個現代美術館共有六個展覽空間，三個空間作為典藏展覽專用，另外有三個空間與地下樓的大型開放空間，則作為變動性特展用。近期舉辦過的重要特展有，「麻將：席格收藏的中國當代藝術」、「來自白雲故鄉的佛教藝術」，以及「人與自然：藝術家對改變中的星球之回應」等。

柏克萊大學美術館多元的館藏品共有一萬六千件，反映著它以教育為核心的宗旨理念，其中有八百件亞洲藝術精品，乃全美國最佳的亞洲藝術收藏之一，尤其顯著的是中國明朝與清朝時期的繪畫，這批收藏來自於該校著名的中國繪畫學者高居翰（James Cahill）的捐贈，代表作如：明代「浙派之祖」畫家戴進的〈夏樹濃蔭〉，筆法穩健謹慎，在濃淡墨色的皴染中，展現出宏偉高遠、層次疊置的迷離山景，以及前景中精細描繪的樹蔭、亭閣與人物，整幅畫佈局有疏朗，實中有虛，表達出了中國繪畫超越時空的意境。其它重

● 柏克萊大學美術館內部 Photo by Benjamin Blackwell

● 柏克萊大學美術館外觀 Photo by Benjamin Blackwell

要收藏還有印度蒙兀兒（Mughal）王朝的纖細畫、巴洛克繪畫、古代大師的版畫與素描、19與20世紀初的攝影，包括許多稀有的銀版照片、早期美國繪畫，另外還有觀念藝術及國際的當代藝術等。代表性當代藝術收藏包括：韓裔美籍藝術家車學敬（Theresa Hak Kyung Cha,1951-1982），一位在1970年代廣受矚目的觀念藝術、表演藝術與錄像藝術家。作品〈看不見的聲音〉（Aveugle Voix）是1975年在舊金山的一項表演的紀錄照片之一，在此她用一塊寫著「聲音」（voix）的布條罩住自己的眼睛，用另外一條寫著「盲目」（aveugle）的布條罩住嘴巴，儀式性的表演傳達出的是一種文字與意象的弔詭交會，卻又有如同早期黑白電影所展現的微妙而澄明的境界，啟發人的思索。實驗創作團體螞蟻農莊（Ant Farm），是由一群建築師所組成，作品〈媒體燃燒〉，紀錄著1957年的一項表演，他們讓一輛1959年的凱迪拉克駛入一面燃燒的電視牆，藉此表述壯觀的媒體之解構與破壞等同完美，這輛古董車乃文化的象徵，卻被轉變為一種地球上的太空船。這件作品批判著美國的英雄主義與科技的優越感，並且當眾侮辱了被邀請來採訪報導這個表演的電視媒體。

　　柏克萊大學美術館至今仍然是在國際上擁有最多的漢斯・霍夫曼（Hans Hofmann,1880-1966）繪畫的美術館，該館的現代藝術收藏之核心亦即環繞在這位藝術

家的創作，因此有一間展覽室即專門展陳霍夫曼的繪畫。霍夫曼這位德裔美籍藝術家，也是位優秀的藝術教師。在繪畫上，他最關心的是如何將形與色彩統合起來，利用色彩之冷暖、明暗、彩度與純度的不同，所形成的視覺上之進、退、脹、縮等效果，在畫面上創造出力與勢的動能，表達藝術家內在的情感。因此他的作品色彩鮮明勃發，獨具表現張力。霍夫曼從對自然的熱愛，不斷地探索著大自然的元素如何從三度空間轉換為二度的平面性，因此他的畫面上所構成的風景是空間、色彩、造型與面之間的張力與對話。霍夫曼被認為是一位綜合主義者，因為他的繪畫結合了野獸派、立體派與抽象表現主義之精髓，在美國抽象表現主義繪畫的發展上，霍夫曼也位居關鍵性地位。

另外的現代藝術收藏還有馬克‧羅斯柯（Mark Rothko）、海倫‧法蘭肯索勒（Helen Frankenthaler）、傑克森‧帕洛克（Jackson Pollock）、大衛‧史密斯（David Smith）與克里佛德‧史提爾（Clyfford Still）、保羅‧高更、裘納桑‧波若夫斯基（Jonathan Borofsky）、瓊‧布朗（Joan Brown）等人的作品。

美術館第4-6號展覽空間的典藏展，展題為「肉眼可見的百餘顆星星」，精選出了19世紀至今的一百五十六件典藏精品，以及少數17、18世紀的作品，展品的陳列並不以年代為順序，而是比較隨興地搭配展陳。在第4號空間首先會看到尚‧丁格利（Jean Tinguely）與哈瑞‧克拉摩（Harry Kramer）的雕塑，許多版畫包括保羅‧克

● 魯本斯 朝向耶穌受難之路 1632 油彩、乳膠漆、木板 59.7×45.7 cm（上圖）
● 漢斯‧霍夫曼 可組合牆一與二 1961 油彩畫布 214.6× 285.8cm（中圖）
● 盧梭 楓丹白露的森林 1855-1865 油彩畫布 159.1× 188.6cm（下圖）

● 艾爾伯特‧畢爾斯塔 優勝美地冬景 1872 油彩畫布 81.6×122.2cm

利、威廉‧布雷克（William Blake）、古代大師版畫等，米羅的小品繪畫、路易斯‧布爾吉斯的紙上作品、克利佛德‧史提爾的巨幅抽象表現繪畫。還有19世紀的精品，法國巴比松畫派的希爾多‧盧梭（Théodore Rousseau）的作品〈楓丹白露的森林〉，盧梭這位畫家也是一位前瞻性的生態學家，堅信著人與自然之間的本質關聯與互動，因此他一貫地忠實描繪大自然，不加入任何神祕的題旨與個人的詮釋，誠然為爾後以科學性眼光探視與描寫自然的印象派繪畫先行鋪路。哈德遜河畫派（Hudson River School）畫家艾爾伯特‧畢爾斯塔（Albert Bierstadt），以描繪19世紀美國西部風景著名，他的巨幅繪畫著重在詳實的細節、浪漫的氛圍與神妙的光和雲霧的表現，前景與背景經常戲劇性的轉移交錯，呈現出當時原真樸質的美國西部景觀中，大自然的宏偉與崇高性，讓觀者產生敬畏與瞻仰之心，如〈優勝美地冬景〉。

　　第5號空間入口主牆面上是羅伯特‧貝希特（Robert Bechtle）的照相寫實主義的巨幅繪畫〈60年代T-Bird〉，取材自舊金山當地的環境、鄰近街坊、朋友、家人、街上景──尤其是汽車。貝希特的繪畫清晰如同攝影，因此筆觸幾乎難以辨識出，作品在色彩與光的鋪陳中，流露出他在平凡的人、事、物中捕捉住的精鍊而真實的景象。照相寫實主義是在60年代末、70年代之間，盛行於美國的一種藝術流派，源自於普普藝術，而與當時流行的抽象表現主義與抽象藝術形成對立。另外還有16世紀的吉奧瓦尼‧卡拉

●戴進 夏樹濃蔭 15世紀 水墨絹本 198.1×107cm（左圖）　●陳寬 Landscape with Cranes 1638 水墨設色絹本 198.1×98.4cm（右圖）　●車學敬 看不見的聲音 1975 舊金山布拉松街表演 ©Trip Callaghan（右頁圖）

吉歐羅（Giovanni Caracciolo）的大幅油畫〈在野地裡的年輕聖約翰〉、19世紀末的艾德華・孟克（Edvard Munch）、20世紀初賀內・馬格利特（René Magritte）的超現實主義作品、後印象派的保羅・高更、黑人藝術家羅梅爾・貝爾登（Romare Bearden）、抽象表現主義的威廉・杜庫寧（William de Kooning）等人的作品。其中還有法德蘭斯畫家魯本斯（Peter Paul Rubens），具代表性的油彩素描作品〈朝向耶穌受難之路〉，以巴洛克的戲劇性構圖手法，描繪出耶穌背著十字架朝向受刑之地的傳統題材。在此魯本斯用灰色與棕色調油彩，快速描繪出此作為草圖的小品，表現出精疲力竭的耶穌之悲痛與其英雄般的力能。通常魯本斯的大幅油畫是由他的助理依照小幅草圖轉繪出來的，因此這件小品，反而可以看到藝術家私密而充滿生命力的個人精采筆觸。

第6號空間中主要是20世紀以來歐美的抽象藝術、機動藝術、觀念藝術等作品。艾德・萊茵哈特（Ad Reinhardt）與馬克・羅斯柯巨幅的抽象繪畫是這個展場裡顯著的目標。萊茵哈特的〈抽象繪畫3號〉，是一件黑色作品，寂靜無聲、無象、無味、無光、無方向、無時間性、無空間性、沒有任何指涉、沒有任何意涵，只有純粹的黑色層次精妙地鋪設在幾何形制的畫布上，如同清教徒般的莊嚴，只有繪畫本身的理想境界，這是超卓的境界，無它只是「藝術」。萊茵哈特的這件繪畫已經從早期抽象表現主義的形式中走出，成為了60年代末低限主義與觀念主義藝術的先驅。屬於抽象表現主義的羅斯柯的色域繪畫（Color Field Painting）作品，典型地以三或四個不同大小的矩形色域並置在長方形的畫幅中，似乎飄浮著的柔邊幾何色域在紅色、深藍色與深灰色的相互映照下，呈顯著神祕的光暈，引人無限的深思與冥想。羅斯柯拒絕為作品做任何說明，他說：「沉默是如此精確。」他的畫面似乎隱喻著形而上的風景、內在的心境，這是藝術家對崇高、超卓與存在本質的詮釋。抽象表現主義是第一個在美國發生的藝術運動，基本上它是一種藝術態度，因而創作風格多樣；當時抽象表現主義的主要中心是在紐約與舊金山。抽象表現主義的行動繪畫之代表傑克森・帕洛克，其創作乃隨興自發地從各個方向進行的行動，因此他的畫布通常極為巨大，並且是置放在地上創作，畫家可以進入到畫布裡，盡情地讓油彩在畫布上揮灑滴流，作品充滿了激情與超越傳統的另類思維，展場中的作品〈6號〉算是帕洛克創作的中小幅繪畫，但是仍然具現著藝術家突破性的觀念。這項典藏展是柏克萊大學美術館館長從龐大收藏中，挑選提呈出對藝術的綜覽性觀照。他說：「夜幕中可見的繁星只呈現出龐大星河的一隅，然而它們帶給了人們深不可測的奧妙經驗……，而且它們永遠在那裡。」歷代藝術的經典創作，如同天上的星星，就待有心人的探視。

●螞蟻農莊 媒體燃燒 1975年7月4日舊金山牛宮表演 © John F. Turner

　　柏克萊這棟水泥懸臂式結構的美術館,因為在1989年舊金山大地震時遭受到損害,
至今都還可看見在地震後加裝的鋼樑支柱。於是柏克萊大學積極地在規劃興建一棟嶄新
的美術館,這個新館將位於大學西邊主要入口與柏克萊市中心邊界上。2006年柏克萊大
學選擇了國際著名的日本建築師伊東豊雄為新美術館作設計,整個經費預算約美金1億
4500萬,概念設計圖在2008年11月揭曉,驚艷四方,最後設計圖將在2009年底完成,
新館計畫在2013年對外開放。這個以曲線構成的前衛建築,如同蜂巢般的造型結構,將
會是一個更具有彈性、包容性、感性與社會性的建築。這個嶄新美術館將是伊東豊雄在
美國所設計的第一棟建築,相信在新的美術館完成後,柏克萊地區將會邁入一個藝術與
文化的新境界。

　　原來與美術館共處的太平洋影片檔案,設立於1971年,在2000年時因為建築物的

安全考量，已經遷移至美術館斜對面的館舍。在新美術館建築完成後，它將再度與之合併。這個太平洋影片檔案是以法國巴黎電影博物館的美國版本為構想，今日它是全美國這類型機構中的領先單位之一，收藏共有約一萬四千件影片和錄影帶，最顯著的是古典與國際影片、國際動畫片、美國西岸前衛影片、蘇聯電影、早期錄影藝術，以及日本境外最大的日本影片的收藏。（圖片由柏克萊大學美術館提供 Photo courtesy Berkeley Art Museum, Benjamin Blackwell unless indicated otherwise）

地址 / 2626 Bancroft Way, Berkeley, CA 94720-2250
電話 /（510）642-0808
網址 / http://www.bampfa.berkeley.edu/
開放時間 / 週三至週日11:00－17:00
門票 / 全票$8.00，65歲以上與學生$5.00，12歲以下免費，每月第一個週四免費。

佛比・賀斯特人類學博物館

Phoebe A. Hearst Museum of Anthropology

　　在柏克萊大學內的佛比・賀斯特人類學博物館，位於美術館的斜對面，由佛比・亞伯森・賀斯特（Phoebe Apperson Hearst）創立於1910年，目前的博物館位於完成於1959年的人類學系館的一樓，其構想是讓博物館作為該校的研究教育機構與文化的基石。目前的收藏共有三百八十萬件文物，是西方最古老也最大的人類學收藏。佛比・亞伯森・賀斯特長期地支助柏克萊大學的考古學家與人類學家作系統性的收集，博物館早期的核心收藏，主要來自著名學者艾爾佛瑞德・克羅伯（Alfred Kroeber）、喬治・瑞斯納（George Reisner）、麥可斯・歐伯勒（Max Uble）與威廉・巴斯孔（William R. Bascom）等人的努力，藏品涵蓋埃及、非洲、祕魯、北美洲，尤其是加州、地中海以及大洋洲等地區的文物。博物館的展覽空間不大，但是仍然持續其創館理念，輪流地展示著豐富多元的館藏品，除了教學與研究外，更強調著對大眾的說明，以推廣對人類歷史與多元文化的了解。

　　博物館有三間開放式的典藏展覽室相互銜接著，大部分物件以櫥窗形式展陳。目前典藏展的主題為「來自創造者的手」，從百萬件收藏中規劃提出，在此博物館藉由人類手藝的活動揭示出跨越文化的多元創造力，以及其本質的相似性與相異性；希望在製作者與使

用者的相互關係中，讓觀眾得以進一步的欣賞與了解這些物件。入口處首先有一個櫥窗展陳著世界各國的茶具。第一間展覽室以生活與歷史中的文物為主，目前展示著非洲與中國的文物。第二間展覽室展陳屬於古代文明（埃及、祕魯、北美洲與地中海）的考古收藏。第三間展覽室固定展陳著加州原住民的文物，此外還有一間變換主題的特展室。

● 名片台座 象牙 中國 約1880 © Phoebe A. Hearst Museum of Anthropology（上圖）　　● 博物館外觀（左頁圖）

　　博物館的非洲文物收藏約有一萬六千件，主要是在柏克萊大學人類學教授與1957-1979年間擔任博物館館長的威廉‧巴斯孔時期所收集的，巴斯孔與其夫人也捐贈了數百件的奈及利亞尤魯巴族（Yoruba）文物，今日這批尤魯巴族收藏是美國境內最龐大而完整的。第一間展覽室中的尤魯巴族〈有蓋的葫蘆容器〉（Calabash bowl, with lid）是由男性所製作，這件作品雕飾著精美的鳥紋，分為兩個半圓型，代表著宇宙的兩個部份，即世俗的世界與神靈的世界。〈王冠〉裝飾著色彩鮮麗的珠飾圖紋，是尤魯巴族王室的標幟，國王通常有許多頂王冠在不同場合時配帶。珠飾也是王室的象徵，因此被用在王冠、袍服、權杖、墊子等物品上。最早的珠子是藍色的石頭，由回教商人進口到非洲，15世紀時有來自葡萄牙的紅色珊瑚，17世紀開始則有來自歐洲的各色玻璃珠子。此外還有西非與中非洲地區的儀式用面具，如〈森林神靈面具〉是西非克魯語族（Kru）所使用的戰士面具，用來協助保持他們這個小社群的平等性。這個面具展現出強壯的動物造型，如：豹、野豬等。面具周圍的裝飾物，則賦予了它神祕的力能。〈頭盔面具〉是庫巴族（Kuba）二十種不同面具之一，這件面具也是一套三件皇室面具之一。它雖然屬於國王，但是由國王選擇配戴面具之人。這個面具描繪著庫巴族傳說中的祖先伍特（Woot）的妻子（女性祖先的代表），被迫當妓女為伍特吸引追隨者，在她眼睛下的線條象徵著女性因為艱困的情境而淚流滿面；白色與黑色的三角形代表著家庭

● 女性祕密社群的頭盔面具 獅子山／賴比瑞亞門德族 © Phoebe A. Hearst Museum of Anthropology（左下圖）

● 有蓋的葫蘆容器 奈及利亞尤魯巴族 © Phoebe A. Hearst Museum of Anthropology（右下圖）

● 八仙 彩繪象牙 中國 © Phoebe A. Hearst Museum of Anthropology（左跨頁圖）● 頭盔面具 剛果庫巴族 © Phoebe A. Hearst Museum of Anthropology（右頁上圖）

內部的爐灶與家務。〈女性祕密社群的頭盔面具〉是非洲幾內亞海岸地區的一個女性祕密社群所使用的面具，在此年輕女孩被孤立起來學習做為成年女性，這個面具是在入會儀式中由成年女性所佩戴，代表著該社群的精神領導力量。頭盔基座疊聚的同心環紋象徵著黑蛾的蛹繭，意指女孩變成為女性的轉化過程；環紋也指涉女性精神所在的水所產生的波紋。光亮的黑色是河床底部黑泥的顏色，泰然自如的表情流露出年輕女孩所學習到的智慧、優雅與自我掌控。另外還有色彩鮮麗的坎特（Kente）的織品、象牙海岸的人物雕像、東非與南非地區的服裝、裝飾品、儀式性物品、珠寶等。

　　中國文物收藏約有三千件，主要是裝飾藝術的物件，很多物件的來源與日期都不詳，大多數的藏品屬於清朝時期，尤其是19與20世紀上半葉。包括有家庭中的器物、服裝與配飾、休閒用品（鼻煙壺、遊戲用品、書寫用具、樂器）、宗教與儀式用物品以及以玉石、珊瑚與木雕刻的人物像等。〈女性外衣〉這件晚清時期的服裝上，典型地在領圍、袖口與下擺，裝飾著各種富貴吉祥的紋樣，例如：燕子（象徵著堅貞）、蝴蝶（象徵愉悅與夏天）、鶴與松樹（長壽）、寶塔（保存遺物）、孔雀（美麗與尊嚴）、花朵（期

● 馬雅織品 © Phoebe A. Hearst Museum of Anthropology（左上圖） ● 墨西哥織品 © Phoebe A. Hearst Museum of Anthropology（左下圖）
● 王冠 奈及利亞尤魯巴族 © Phoebe A. Hearst Museum of Anthropology（右圖）

望長壽）、鹿（財富）、葫蘆（多子多孫）等。〈八仙〉是中國傳說中的神祇，共有六男二女，他們是經由智慧與鑽研自然而得道成仙，在元朝時極為盛行，是中國民俗藝術中普遍的題材，因為人們相信八仙可以賦予長生，這組作品是象牙雕刻與彩繪完成的。中國有很長的歷史為外國貿易製作流行的裝飾性物品，〈名片台座〉這件象牙製放置名片的台座，雕飾著精美的圖紋，四周有人物、房子與花卉，中央則是一隻纏扭的龍，所有紋樣交融完美的佈陳，展現出精湛的中國工藝之美。

　　加州原住民文物是佛比・賀斯特博物館創立以來的重點收藏，因為這個主題是該校首位人類學教授暨策展人艾爾佛瑞德・克羅伯的興趣所在，今日該收藏共約二十六萬件，乃全世界這類收藏中最龐大與完整的。其中有三分之二的藏品屬於原住民與外界接觸之前的考古文物，是在柏克萊大學的考古學家羅伯特・賀澤（Robert F. Heizer）主導下收集的，另外還有許多的照片、影片與聲音紀錄的完整收藏，輔助說明這些珍貴的物件。在過去數千年，加州原住民發展出了許多複雜的文化與習俗，在西班牙人來到此地時，這兒有大約一百個不同文化的族群，各自說著不同的語言。但是由於婚姻、貿易與交流，各族群之間也形成了很多共通的生活方式。因此加州原住民文化展覽室以「可見的儲藏室」為理念，依照這些物件被使用的型態與類別，展陳出多元族群的文化樣貌，

國家圖書館出版品預行編目資料

舊金山博物館之旅--Art Museums in San Francisco／黃麗絹 著.--初版. -- 臺北市：藝術家，2010.01 176面；17×24公分.--

ISBN　978-986-6565-72-4（平裝）

1.博物館　2.美術館　3.美國舊金山

069.852　　　　　　　　　99001103

舊金山博物館之旅
Art Museums in San Francisco

黃麗絹 著
Teresa Li-chuan Huang

發行人／何政廣

主編／王庭玫

編輯／謝汝萱

美編／張紓嘉

封面設計／曾小芬

出版者／藝術家出版社

　　　　台北市重慶南路一段147號6樓

　　　　TEL：(02)2371-9692～3

　　　　FAX：(02)2331-7096

郵政劃撥／01044798 藝術家雜誌社帳戶

總經銷／時報文化出版企業股份有限公司

　　　　台北縣中和市連城路134巷16號

　　　　TEL：(02)2306-6842

南區代理／台南市西門路一段223巷10弄26號

　　　　TEL：(06)261-7268

　　　　FAX：(06)263-7698

製版印刷／新豪華彩色製版印刷股份有限公司

初版／2010年3月

定價／新台幣280元

ISBN／978-986-6565-72-4

●女性外衣 絹繡 中國晚清時期（約19世紀）© Phoebe A. Hearst Museum of Anthropology

其中許多精采的編籃物品，是參觀這間展覽室不可忽略的，它們被用來採集與存放植物、背袱嬰兒、做成帽子等等。因為藏品數量龐大而物件通常也會有多種用途或意涵，所以博物館會定時更換展品與陳列，讓大眾能夠從生活中的各種物件形式，觀賞到加州原住民文化的生命力與原真之美。

　　主題特展室2009年展出著「瓜地馬拉的馬雅織品」，這批璀璨多彩的織品主要來自賀斯特博物館在1902年的探勘收集，涵蓋著各式舞蹈與儀式性服裝、傳統頭巾等手工編織品。馬雅文化開始於西元前2000年至16世紀初西班牙殖民時期才消失，這些美麗的織品是對馬雅文化、個人的主體，以及社會與政治轉變的表述，展現出馬雅人的堅韌精神與藉由編織品來敍述故事的絕妙能力。佛比·賀斯特人類學博物館位於柏克萊美術館的斜對面，因此拜訪這所著名大學時，同時可以參觀這兩間收藏豐富的博物館，絕對不虛一行的。

（圖片由佛比·賀斯特人類學博物館提供 Photo courtesy Phoebe A. Hearst Museum of Anthropology）

地址 / 103 Kroeber Hall Berkeley, CA 94720-3712
電話 /（510）642-3682
網址 / http://hearstmuseum.berkeley.edu/
開放時間 / 週三至週六10:00－16:00，週日12:00－16:00。
門票 / 免費（柏克萊大學放假日休館）